メモるだけで
2度と忘れない

3分間勉強革命

3 minutes
study
revolution

医学部受験塾
MEDUCATE 代表
細井 龍
（ドラゴン細井）

KADOKAWA

この本を読めば、
誰でも、必ず、
「勉強ができる人」になります。

のっけから問題。

1時間ぶっ通し学習

vs.

45分学習＋計15分休憩

効率が上がったのは、どちらでしょうか？

答えは後者。

休憩ありの勉強のほうが、効率よく学習できたのだ。

15分多く頑張った人のほうが、「勉強していなかった」。

勉強というと、「やる気」に頼る人がいる。
でも、それは正しいのか。
「やる気」って、むしろ「警戒すべきもの」ではないのか。

なぜか？

だって、人間って弱いから。
勉強しなくても死なない。
だから、
フツーはスマホしたい。
フツーはテレビ見たい。
マンガ読みたい。映画観たい。恋愛したい。

でも、多くの人は、
欲望を押さえつける。
箱に入れて、
「やる気」でフタをする。
パンパンになって
箱に入らなくなっても、
上からフタをして、ムリヤリ。
体重をかけて、
グッ、グッ、グッと。

すると、どうなるか？

バーン!

破綻する瞬間が必ず来る。
ついつい、息抜きをする。
そして、
「ああ、こんなはずでは」
と自分を責める。
これって、おかしくない?

炎天下のグラウンドで、
生徒をひたすら走らせている教師がいたら、
どうだろう？
生徒はゼエゼエ言って
真っ青な顔なのに、
「うむ、うむ」なんて
腕を組んでうなずいている教師。

「なんて非科学的な！」
そう思うよね？

でも、勉強の世界では、
まだこんな野蛮なことが
行われている。
「とにかく勉強する」ことで
乗り越えようとする。

「遊びじゃないし」
「つらさを乗り越えた人だけが、受かるし」
「てか、勉強ってつらいものだから」

そういう、
「ポジティブなドM」発言には
こう返したい。

ラクして受かるが、イチバンいいに
決まってるやろがーい！
やろがーいー！
やろがーいー！
やろがーい！

今時、我慢ゲームしてどうなるの？
いや、苦労がゼロにはならないよ。
でも、「つらい分、はかどった」
なんて思うのはやめよう。
それは、「炎天下の
グラウンド教師」と同じだ。
走らせる対象が
「自分」になっただけ。

この本に書いてあることは、
突きつめるとたった一つ。
最新科学に基づいた効率的な学習法。
それだけ。

勉強の成果を99％左右するのは、3分間の時間。

たった3分間で、勉強の効率はガラッと変わる。

「勉強が苦手」なあなたも、

「もっと勉強ができるようになりたい」あなたも、

心配はいらない。

最新の科学的な勉強法を学ぶ。

世界中の頭のよい学者さんたちが調べて

「現状、この方法がイチバンいいよね」と結論づけた方法を知る。

それだけで、あなたは「勉強ができる人」になるから。

この本が、
あなたの勉強に革命を起こしますように。

6 golden rules

「3分間勉強」の黄金法則 6つのポイント

この本を読み進めながら、空欄を埋めていこう。完成したとき、あなたの勉強にはすでに、革命が始まっているはず。

その①

人は［　　］生き物である。
覚えたいことは、五感で頭にねじ込む。

その②

勝負のカギは［　　］×。
手を動かして、結果を3分で記録する。

その③

学習の基本は［　　　］。
忘れることを恐れず、テストを繰り返す。

その④

［　　　］と［　　　］の管理が
できなければ、勝利は得られないと心得る。

その⑤

［　　　］は捨てる。
勉強の道は、思い込みで突き進む。

その⑥

余計な［　　　　］は遮断する。
体と気持ちを作って本番に挑む。

この６つを見直しながら、
勝利を得よう！

「勉強ができる人」になるための6つの戦術

「やる気」があれば結果を出せるわけではない。
「やみくも」に手を出しても時間を無駄にするだけ。
「効率のいい勉強法」を学んでこそ、
あなたは「勉強ができる人」になれる。
あなたの勉強に革命が起きる、勉強法の核はこれだ！

第1章【忘却の理論】

勉強に記憶は欠かせない。でも、

人は忘れる生き物である

↓

けれど、
学び方によって忘れやすさは変わる

↓

忘れないための勉強法とは？

1. 1冊を何度も繰り返しながら、記憶する
2. インプット方法を多様化して、記憶に印象づける
3. 覚えているかテスト（セルフチェック）する
4. 本番が普段の延長になるよう準備する

第2章【復習の管理法】

勉強はやって終わりではなく、

定着するまでが勉強である

―記憶に定着させるための効率的な勉強法①―

とにかく「書く」で、手書きのノイズ要素を利用する

手書き文字に含まれる「ゆがみ」や「すれ」がノイズとなって、脳を刺激する

刺激されると活性化されて、記憶しやすい脳が育つ

―記憶に定着させるための効率的な勉強法②―

3分間×紙1枚で、「小さな思考」を繰り返す

3分間でその日の勉強内容をまとめる習慣を取り入れる

小さな思考を繰り返すことで、記憶を整理する癖がつく

第 3 章 【インプット法】

勉強の基本は、基礎を暗記することである

そのためには、

五感をフルに使って インプットする

ボイスメモを使う

ジョギングする

場所を変える

第 4 章 【時間術】

人は、時間が無限にあるとダラダラと使ってしまう

効率のよい勉強のためには、

目標と時間を管理する

1. インターバルを挟む
2. PDCA のチェックを大事にする
3. 短期、中期、長期で目標を数値化する

第5章 【モチベーション】

「勉強が楽しい！」と思えたら勝ち

「つらい」というネガティブな思考は遠ざける

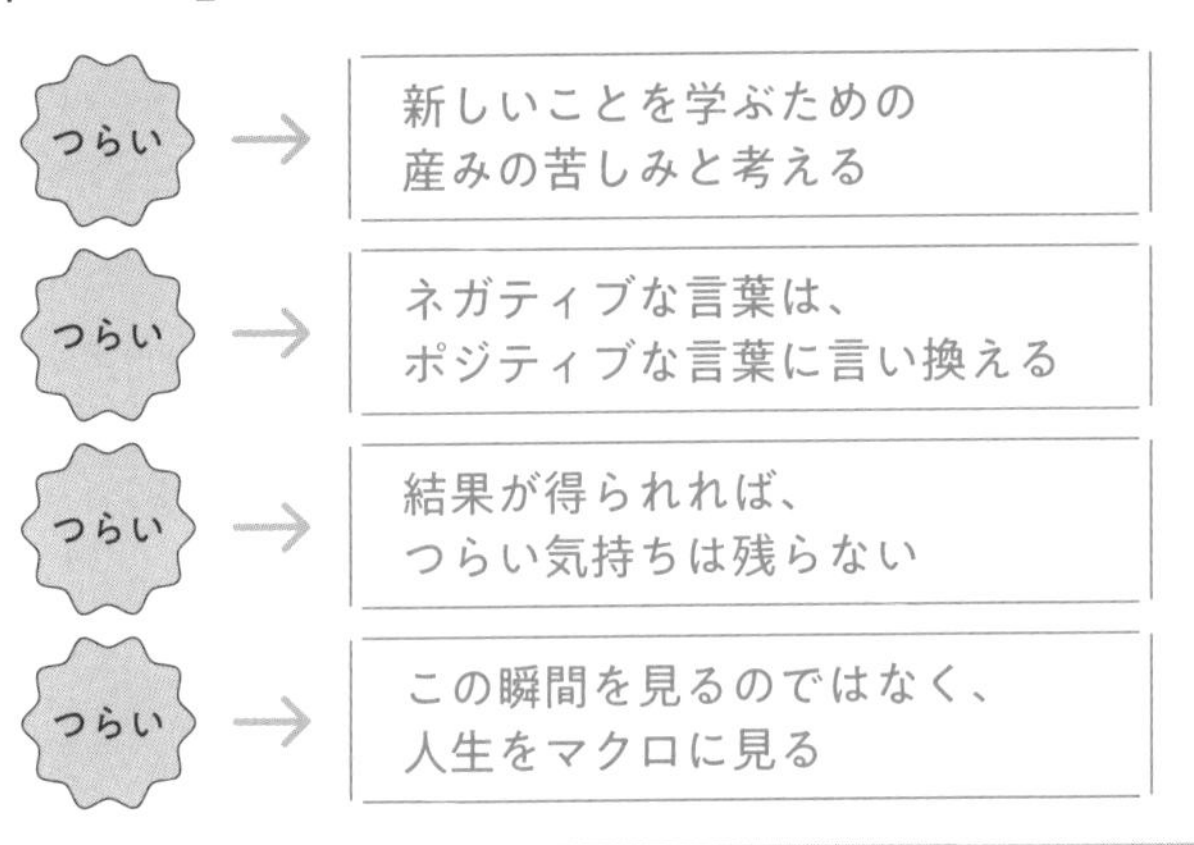

第6章 【試験攻略法】

本番当日に力を最大限発揮するために

1. 脳の集中力が高まる朝の時間を活用する
2. 暗記の作業は「寝る前」にやる
3. アウェー環境に身を置く
4. 本番当日の時間割でリズムを作る
5. 信頼できる1冊を絞り込んでおく

はじめに——3分間の自己投資があなたを変える

こんにちは！

はじめましての方もいらっしゃるかもしれません。

細井龍と申します。現役の美容外科医で、アマソラクリニックの院長を務めています。医学部受験塾「MEDUCATE」の塾長、さらにYouTubeなどのメディアでは「ドラゴン細井」という名前での活動もしています。

実績を簡単に紹介すると、塾はこれまでに500名近い医学部合格者を輩出。YouTubeのチャンネル登録者数は2023年7月現在、7・17万人です。

これらの数字をどう捉えるかは読者の皆さんに委ねます。ただ、多くの方々の人生を好転させてきた自信はあります。

納得感を持ち、最短かつ効率的に成果を出す勉強法

さて、世の中にはすでに「勉強法」の本が溢れかえっています。その中で、なぜ私は本を出そうと思ったのか。

それは、皆さんに**正しい勉強法を最初から知ってほしい**からです。

正しい方法を知らずに、やみくもに勉強をするってどうでしょう？　「勉強を頑張ろう」ととにかく始めること自体は素晴らしいですが、方法を知らずに取り組むのははっきり言って非効率的なんです。

人生は限られています。

「非効率性というものをなるべく排除してほしい」
「限られた時間の中で最高の効率で、最もスピーディーに目的を達成してほしい」

これらを本書で伝えたい、そう思っています。

本書の内容を3分間でまとめる

まず「はじめに」で、本書の軸となる思想をお伝えします。

「『3分』で何事も要約する」

言葉にすれば16音。たった数秒。でもこれが大事！

具体的に言うと学んだことを頭の中で言語化して、すぐにアウトプットすることです。ボーッと見聞きしているだけでは、頭の中に留めることは難しいのではないですか？

受け身でいると、情報は頭からスコーンとダダ漏れします。接した回数とか、費やした時間とかは、（極端に言うとですが）関係ない。

たとえば、ローソンのロゴを正確に描くことってできますか？

ローソンに行ったことがない人はいないと思う。街中で何度も何度もロゴを見ているると思う。でも、いざ描き出すとなると「あれ、囲みは丸、四角？　なんかマークがあった気がするけど、あれって何だっけ？」となると思う。

でも、1回でもロゴを書き出した経験がある人は、結果が全然違うでしょう。かなり正確に描けるはず。

なぜか？

それは、**「思い出す・抜き出す・見返す」**という能動的な行為を経ているから。

要約という作業は、この3つの行為で成り立っています。だから、**これを行うかどうかで記憶の定着率は天と地ほどの結果が出ます。**

「要約か、なんか難しそうだな」と思った方、ご安心を。

ちょっとしたコツはありますが、構えることはありません。

要約そのものが目的ではありません。殴り書き程度の「メモ」といったほうがイメージに近いでしょう。

「メモるだけで、2度と忘れないワケねーだろ」
「3分間で、勉強の能率が変わるはずねーだろ」

そう思った方は、だまされたと思って本編を読み進めてください。炎天下でグラウンドを走らせるような「根性論」を引きずっている可能性がありますから。

社会人の公務員・語学・資格試験にも、学生の入学試験にも

本書で書かれている事例は、私が受験塾を経営している関係上、受験問題の例が多くなっています。でも、当然ながら社会人が受ける公務員・語学・資格試験にも、応用可能なもの。

大学受験だろうが、社会人の試験だろうが、カバーする範囲が違うだけ。勉強のインプットのコツ、アウトプットのコツは変わりませんから。

最後に、一つ懺悔を。

「炎天下のグラウンド教師」を例に挙げて、「自分はそうじゃない」スタンスで言っ

てきました。でも、私、細井も高校時代はバリバリの「根性勉強」派。

いや、もちろん「効率」は考えていましたよ。でも、自分を「勉強漬け」にすることで乗り切ろうとしていたことは否めません。自分を椅子に縛りつけて、「血尿が出るレベル」で勉強してました（いや、本当は出てないですよ、念のため）。

イメージでいうと、学校というか「軍隊」。鬼教師というか「鬼軍曹」。鍛えるというか「虐める」。そんなレベルで自分に勉強を課しておりました。

というのも、私が「ポジティブなドM」だったから。当時の私のような人間だったら、質より量で試験を乗り切ることも可能でしょう。勢い一つで、ライバルを蹴落とすこともできるでしょう。格闘技をかじった人を腕力でねじ伏せるケンカ自慢のように。

でも、もうそんな時代ではありません。最小限の努力で、最大限の成果を得て、残りの時間は人生を充実させるべきです。

勉強は目的ではなく、人生をより良くするための手段ですから。

どう教えても勉強ができず、他塾で「見放された」生徒も、私の塾に入った瞬間、根本から「勉強ができる人」になって、医学部に合格した……そんな例は多数あります。

私が血尿が出るほど努力してつかんだ、塾で多数の生徒を指導してつかんだ、多くの学術論文を読んでつかんだ「効率的な勉強法」をこの1冊に凝縮しました。

もう一度言いましょう。

ラクして受かるが、イチバンいいに決まってる！

あなたの勉強法に、いや、「人生」に革命を起きることを願って、本編スタート！

装丁　krran
本文デザイン　廣瀬梨江
本文イラスト　徳永明子
執筆協力　渡邉淳
沢井メグ
編集協力　吉田桐子
編集　荒川三郎（KADOKAWA）

Contents

第1章

【忘却の理論】

学んでも学んでも「忘れる」仕組み

第2章

【復習の管理法】

なぜ、紙1枚に「3分間」でまとめるだけで「勝ち確定」なのか

第3章

【インプット法】

五感をフルに活用して、脳に「焼き印」をする

第4章

【時間術】

インターバル勉強をする賢人、フルマラソン勉強をするバカ

第5章

【モチベーション】

思い込みでも「勉強＝楽しい」と思えたら勝ち

第6章

【試験攻略法】

当日の明暗を分ける「ささいな工夫」

第1章

【忘却の理論】

学んでも学んでも
「忘れる」仕組み

科学的な実証に素直になる

これからお話ししていく内容は、実証されつつあるデータに基づくことばかりです。

大事なのは、その実証されつつある内容を愚直に実践していくこと。よく「自分はこの方法が合っているからこれがいいんじゃないか」と思うことはありませんか？　それはあくまで相性です。確かに、可能性の話をすると、あなただけにとって効果的である可能性はゼロじゃない。でも非常にリスキーなスタンスだと思いませんか？　もし選んだ勉強法が、今までに出ているデータに逆行していることであれば、非効率的な可能性が高いし、結果につながらない可能性も高くなると言えるでしょう。

科学的な証明を、真正面から素直に受け止める覚悟を持ってください。

科学に抗う必要はありません。むしろ抗うのは無駄です。

なぜ「人の仕組み」を知る必要があるのか

勉強に記憶は欠かせません。次の3つの要点を頭の中に入れつつ、この後の内容を読み進めていただければと思います。

1. 時間が経てば忘れてしまうという前提を知る
2. 学び方によって忘れやすさは変わる
3. 忘れ方には2種類ある

記憶の保持に関して一番有名なのは「エビングハウス曲線」です。記憶とは、インプットをしてから徐々に減少していくものです。基本的に、学んだ内容は3〜4日後には忘れていると考えてください。

加えて、**適切なタイミングで復習をすることによって、「記憶を長く保つことができる」**ということが科学的に証明されています。

私としては「前日」の内容と「1週間前」の内容を復習する方法を推奨しています。実際に塾では前日に教えた内容すらも、翌日には忘れている生徒がたくさんいます。記憶とは、その程度しか維持できないんですね。

最初にやるべきは、前日の内容を復習すること。

時間が経過すれば、忘れていくことになります。さらに、その後に勉強した6日間分の新しい知識が、7日前のことを押し出しているため、忘れていく速度は上がります。それなら「1カ月前をやらなくていいのか」や「3カ月前をやらなくていいのか」という意見が出るかもしれません。もちろん、何カ月前のものでも復習はやるに越したことはありませんが、どうしても管理が難しくなる。

だから「前日」と「1週間前」なんです。

「忘れる」種類は２つある

記憶が薄れていくことを科学的には「劣化」と「干渉」という言葉で説明します。我々はよくこの２つを混同して「忘れる」と言いますね。具体的に何が違うのか見てみましょう。

・劣化：単純に時間が経つことによって、その記憶が薄れていくという現象

・干渉：新しいものを入れたときに既存のものが押し出される現象

１週間前に「自分が何をしたか」を覚えている人間はほぼいないでしょう。「何を食べたか」すら覚えていないのではないでしょうか。時間が経つと忘れることを「劣化」だと考えてください。

もしあなたが自分の行動や食事を忘れているのであれば、勉強内容もほぼ忘れていると言っても過言ではありません。

一方で、「干渉」は、例えるならロケット鉛筆。後ろから新しい鉛筆の芯が入ることで古い芯が外に出てしまう、これが頭の中で起きているのです。

別の言い方をすると、ある程度のメモリやキャパシティーの中で、新しいものをインプットすると、勝手に「忘却」というアウトプットが進んでしまうと考えることもできます。

そもそも、人は「忘れる」生き物なんです。

「１冊集中法」が有効なワケ

「何かを勉強しよう」と思ったとき、私たちは「1冊集中法」という方法を提案しています。1冊の教科書や参考書、問題集に集中する方法です。それを2～3カ月で1周というスパンでこなしていく。

そして同時に復習も行っていく。前日→1週間前→大きな枠で3カ月。このスパンで復習をしてください。

基本的には、薄く、回数を繰り返す。

1人の人間が同時に扱える教材の冊数には限りがあります。複数科目を同時にやるとしても、普通に考えると各科目1冊ですよね。例えば、受験であれば科目が5個、6個、7個とあるわけなので、その時点ですでにマルチタスクなんです。

もし1科目で複数冊やるとなると、マルチタスクにマルチタスクをかけることになりませんか？　それではただ破綻するだけ。

では選んだ1冊を短時間でこなすスタイルはどうでしょうか？　でもそんな「今日絶対覚えて、一生覚えておく」という勉強法は、人間の脳みそ的にはほとんど不可能です。

だから私は何回も薄く繰り返して、和紙を重ねていくような形で記憶していく、というスタイルを提案します。そのほうが安全かつ確実に記憶できると考えているからです。

さて「『忘れる』種類は2つある」の項目でお伝えしましたが、いくら当日に深く覚えたとしても、その後に、それに近しい内容がインプットされると「干渉」を受けることになります。こうして記憶は薄れていく。その上、時間経過による「劣化」も加わり、記憶はだんだんすり減っていくのです。

だからこそ、知識を覚える際には、「どれぐらい深く印象づけられるか」が非常に大事になってきます。

驚くことに、東大レベルに合格する人たちは問題までも覚えているんです。例えば、「去年の東大の数学、第4問の問題は？」と尋ねると、「あのポイントの問題ですよね」のように、問題も覚えているし、解答のポイントも記憶してるんです。

問題も解答のポイントも覚え込むくらいにやり込むことは大事です。それぐらいやり込んで記憶に残るということは、選んだ良書だけをガリガリやっているということ。1冊を問題まで暗記するほど自分に落とし込むと、本番はかなり楽になります。

記憶に残す「五感フル活用法」

知識を深く印象づけるためにはどうすればいいのか。私は**「五感」を使って暗記する**、という方法を推奨しています。

人間は、ただ「見て覚える」よりも、「手を動かす」や「耳で聞く」「口を動かす」といった五感と関連づけて覚えるほうが記憶に残りやすくなるんです。

インプットを多様化して、印象深く頭にねじ込む。

記憶したいなら、他の部位も動かすべし！　知覚を使いながら記憶を行うことが重要です。

なぜ「セルフチェック」が必要なのか

生徒から、毎日のように相談を受けることがあります。「覚えたつもりなのにチェックされると抜けている」という悩みです。自分では覚えたつもりであっても、他人から知識の確認をされると、思い出せなかったり忘れてしまったりしている。皆さんも一度は経験されたことがあるのではないでしょうか。

これはちょっと厳しい言い方になりますが、結論から言うと「セルフチェックが足りない」ということ。チェック不足なのに「やったつもり」になっているケースが非常に多いのです。ちょっと振り返ってみましょう。

自分で自分にテストを課していますか？

セルフチェックを日常的に行える人は、記憶の定着率が非常に高いです。人からのチェックだとできないいんじゃないんです。できるはずのセルフチェックが足りていないだけ。ここをしっかり覚えておきましょう。

本番同様の負荷をかけよう

本番に弱いという悩みを持っている人はいないでしょうか？　解決のポイントは、本番が普段の延長になるように準備しておくことです。

大学受験では、本番と近い環境である模試を多く経験している人のほうが強いですよね？　それと同じで、資格試験や会社のプレゼンなどでも本番に近い環境でアウトプットしておくことが大事なんです。

学生時代に模試の後に自分ができなかったところの確認をしませんでしたか？これは本番同様の負荷がかかった状態でのパフォーマンスをチェックしていたということなんです。確実に「できるようにする」ためには、のんびりした状態でできていても意味がないんです。本番の雰囲気や緊張感の中で「できる」か。高負荷の状態で「できる」か。

本番同様の環境にこだわれ！

模試や資格試験はある種の制限や締め切りであり、負荷の一種となります。それに加えて、当日までにどれだけ多くの負荷を自分に課すことができるかが重要なんです。

負荷がかかったことを想像しながら、日々の勉強をしていくことによって、自分に学びが刻み込まれていくと考えています。

これが
ポイント

人は忘れる生き物。
五感を使って、
印象深く頭にねじ込め。

第2章

【復習の管理法】

なぜ、紙1枚に「3分間」でまとめるだけで「勝ち確定」なのか

復習の肝は「定着度」にあり

復習とは何のために行うのでしょうか？　それは「皆と同じように勉強したことが、定着しているのか」というところに帰着します。

実際、塾に来て勉強はしていても、なかなか点数につながらないという生徒が結構います。そういう子の特徴として「あるある」なのが勉強に時間を費やして満足しているということ。平たく言うと「やりっぱなしになっている」とか「できないところがあったけど、まあいいやで済ませている」ということです。

勉強して終わりだと勘違いしない！
定着までがセットである！

勉強に時間をかけるのは当たり前です。重要なのはその時間の中の「濃密度」。

ただただ時間を費やすのではなく、定着するような勉強の仕方に変えましょう。

そのためには、まず「手を使って書く」ということです。先に紹介したように、記憶には五感を使うことがすごく大事です。見て覚えられるという人は、たぶん超絶天才で、まずいませんから。定着のために、まずその事実を受け入れてください。

「手を動かした者勝ち」のワケ

勉強は運動に似ています。

実際、**「手を動かして、書いてまとめる」ことは、記憶の定着に効果的**だとデータで実証されています。「手で文字を書く」ことは、知覚や触覚を使った「非常に繊細な動き」になるわけです。この繊細な動き自体が脳へのインプットの刺激となり、体が感じる知覚データ量という点で、ただ見て覚えようとするより圧倒的にデータ量が多いと言えます。

というわけで、私たちの塾では「見て覚える」ことを推奨しません。確かに写真記憶みたいなことができる人は、まれにいます。しかし、基本的に人間は見るだけでは覚えられないのです。

「はじめに」で触れましたが、先日、受験生との対談番組で、「ローソンのロゴマークを描け」という題が出ました。皆さんは描けますか？ 外枠はどんな形？ 牛乳瓶みたいな形ですが、「LAWSON STATION」と書いてあるのを覚えていましたか？ このように何度も見ているはずなのに覚えていないということは多々あるわけです。それだと勉強では困ってしまいますよね。だから「書こう」という話です。

書いて、書いて、書きまくれ！

そうすることで脳に刺激が入る。つまるところ、神経だったり、シナプスだったり、そういったものが活性化されて記憶しやすい頭が育つということです。

ワシントン大学や京都大学の研究によると、「手書き」の効能は完全に証明されています。書くことに対する「記憶定着の効能」を取り上げた研究論文もあります。

となると、ここで気になるのは「手書きとキーボードで打つのはどう違うのか」ではないでしょうか。だって、キーボードも手を動かしているわけですから。しかし、これは記憶定着にはあまり良くないんですね。

活字よりも自分の字が記憶に良い。次の項目ではその理由を説明します。

ノイズ要素を利用する

２００９年の日本認知科学会第26回大会で発表された「手書き文字と活字の認識の差に関するfMRI研究」によると、手書き文字のメリットの一つに「ノイズ要素」があると述べられています。

ノイズ要素とは、手書き文字に含まれる「ゆがみ」や「すれ」、書き殴ったときの遊びの部分のこと。要は「個々の字が持つ違い」のことです。そんな手書き文字に含まれるノイズ要素が、脳には非常に刺激的なものに映る。視覚をつかさどる後頭葉が活性化するんですね。

書き殴った手書きの字より、活字のほうが見やすいと感じるかもしれません。でも脳的にはノイズ要素がある手書きのほうが圧倒的に記憶定着に寄与するというわけです。

読むより、自分の手で書く！

日常生活では、ほとんどの人が字を書かずにスマホで打っていると思います。でも、勉強は書いて覚えましょう。タブレットでも、タイピングではなく手書きしてみましょう。

もし書けない状況であれば、小さな声でもいいから口に出して口を動かしながら覚えましょう。今日から、「書く」という行為を勉強に取り入れてください。

「手書き」に関する勘違いとは

「手書き」が記憶の効率を高めることは十分おわかりいただけたでしょう。となると試験前に「手書き」にこだわったまとめノートを作り出す人もいるかもしれません。しかし、ここで要注意です。

まとめノートを作るのに時間をかけすぎると、まとめているうちに試験当日になってしまい、何回も繰り返すという思考のトライアルが少なくなってしまうのです。これでは「1冊集中法」で伝えた「薄く、回転させる」ことが実践できず、知識が頭に刻み込まれません。非常にコスパが悪くなっているわけです。

最初に覚えたことは、その後に「劣化」や「干渉」の影響を受けますよね。つい最近やったものは覚えているけれども、過去にやったものは覚えていないという状況になってしまいます。いくら手書きが記憶にいいからといって、じっくり時間をかけてまとめていたら意味がないわけです。

皆さんには「書き方」にもこだわっていただきたい。

スピーディーに、薄く回転させる！

これは手書きの勉強でも決して忘れないように！

ＰＣやタブレットとのつき合い方

最近だと勉強にタブレットを使われる方も多いでしょう。もしタブレットにApple Pencilのようなタッチペンで書き込めるのであれば、ぜひ手書きでメモをしてみてください。紙のノートと同様に、タブレットに手書きでメモを取ることも記憶には効果的です。

皆さんも経験があると思いますが、キーボードで打ったメモはあまり頭に残っていないのではないでしょうか？　もちろん私もキーボードを使ってメモをすることはあります。便利ですからね。でも記憶やインプットという点では、やはり手を使って書くことのほうが非常に有効なのです。

手書きと記憶パフォーマンスの相関については、いろいろと研究されています。先に紹介した「手書き文字と活字の認識の差に関するfMRI研究」以外にも、『ノートを書くだけで脳がみるみる蘇る』（宝島社）では、自分で知識をインプットして、書いてアウトプットして、そしてその書いたものをもう1回見て（＝インプットして）、再度書いてアウトプットするという方法が提唱されています。

「インプット・アウトプット→インプット・アウトプット」というふうに、親・子・孫のように、どんどんインプットとアウトプットを繰り返していくことが記憶の定着化、長期記憶化にとても有効ということです。

さぁ今すぐ、手を動かしてメモろう！

何を「紙1枚」にまとめるのか

「手書き」の重要性がよくわかったところで、次に具体的なポイントです。勉強のためには、何を手書きしていくのか。複雑化すると、取り掛かる上でストレスになるため、いたってシンプルにまとめてみました。

1. 左上に日付
2. スタイル：箇条書き
3. 学んだことを3分間で書きまくる

「3分間」はあっという間です。この復習法をやり始めた頃は、情報の取捨選択だけで3分経過してしまうかもしれません。最初は、「思いついたこと（＝覚えていることや印象に残っていること）」を書きまくることから始めましょう。そういう「小さな思考の繰り返し」が、3分で紙1枚に復習するスタイルを築き上げていきます。

Date 5/22（月）　Goal

To Do List			
	数学	NL 4問	✓
	英語	Rules② 4	✓
		鉄壁 16〜18	✓
	生物	遺伝 S5-7	✓
		暗記	✓
	化学	エクセル2	✓
		暗記	✓

	0	15	30	45
5				
6				
7				
8	朝食・支度			
9				
10				
11				
12	昼食・休憩			
13				
14				
15	昼寝		移動	
16			英	語
17	と	化	学	の
18	授	業		移動
19				
20				
21	夕食・入浴			
22				
23				
24				
1				
2				

Total 7h50m

Rulesの今回の単元が全問正解でした。全体的には良く理解できたのですが、省略やフレーズで一度目で理解できなかった箇所はありました。今回は大丈夫でしたが、設問が英語だった際にそこの解釈を間違えて失点することもよくあるので精読にも力を入れようと思います。

Date 1/7（土）　Goal

To Do List
単語
1〜50
リスニング
Lesson8〜10
ライティング
文法25〜50、作文1

	0	15	30	45
5			単語	
6				
7	リスニング			
8				
9	仕事			
10				
11				
12				
13	仕事			
14				
15				
16				
17				
18				
19	英会話教室			
20				
21	ライティング			
22				
23				
24				
1				
2				

Total 4h00m

英会話教室で話そうとしても単語が出てこない。単語の数を増やすために、
もっと書いて覚える。リスニングの勉強で意味がわからなかった単語も確認しておく。

なぜ「3分」だけでいいのか

実はこの「3分間」という時間がカギです。雑でもいいので「3分」を使って自分がわかる範囲でまとめる。これを頻繁に繰り返すということこそ、「薄く、回転させる」の実例で、記憶の定着にとても効果的なんです。

なぜか。

そもそも「3分間」でまとめようという意識自体、自分の記憶を整理しなければできないことですよね。煩雑だった知識を、ある程度フォルダ分けすることになります。

よく面接で自己PRや志望動機を「3分」で話してくださいと言われませんか?これは要約の能力が試されています。制限時間が「1分」だろうと「30秒」だろうと同じです。自分が伝えたいことの要点を整理することは、なかなか難しいことなんですね。だからこそ……

雑多な情報を3分で取捨選択せよ！

「3分間」とは、人生において、1日において、非常に小さい時間です。逆に言えば、その「3分間」の思考は、電車の中でもできますし、歩きながらでもできます。会社の休み時間でもできるし、トイレに入っているときでもできます。そこで集中して自分の知識を整理することができれば、勝ちが見えてくるのです。

この**「小さな思考」を何回も何回も繰り返すことは、記憶に対して誰にでも生**

じる「干渉」や「劣化」への対策になります。

資格試験でも、面接でも、ばっちり整理された知識を準備して、かつアウトプットできる状況で臨むことに意義があるのではないでしょうか。

小さな思考の繰り返しが勝つ！

ぜひ実践してください。

「時間×集中度」で効果を上げる

ということで実践です！　本書で提案した復習法で必要なものは「紙1枚」。とりあえずA4サイズで十分でしょう。もちろん文字の大きさや書く量によって、サイズを変えてもOKです。

制限時間は「3分」。学習効果は「時間×集中度」で決まるという考え方があります。長ければいいというものではなく、勉強時間に対しての集中度が重要なんです。

ここで「3分」に帰着します。短い時間であれば、集中度はグンと上がるはずです。その「3分」で集中して抜粋した情報は頭に良くインプットされます。集中集中！

3分間が集中度を上げる！

社会人の皆さんの中には、メモ帳やノートといったアナログな記録媒体を持たない人もいらっしゃるでしょう。しかし、繰り返しになりますが、キーボードでの打ち込みだと記憶定着には悪いんですね。「手書き」をして記憶定着の効率を上げましょう！

制限時間「3分」が生む気づきとは

3分と言わず、もっと長い時間やればいいんじゃない？　という人もいるかもしれません。しかし制限時間を設けないでやってしまうとマズいことになります。そもそも「たくさん時間があるから」となると、勉強のスイッチが入りませんよね？さらに重要なのはこれです。

制限時間があれば、脳は勝手に取捨選択をする。

3分でまとめるとは、脳にとっては「この3分間で覚えるべきことは何なのか」を、取捨選択することを意味します。認知行動科学的に言うと「最上級の情報の抜粋」なんです。効率的に頭の中が整理されるんです。習慣化できれば、日常的に重要な情報の抜粋や取捨選択を行うという能力も向上していきます。

そして、まとめていく過程で新たな発見があるはずです。

自分で「まとめよう」と意図的に頭を働かせたときに「ああ、これってこうだったのか」と気づくことが多々あることでしょう。

ここでポイントになるのが、「で、何か言いたいの？」と思考を常に働かせながら取り組んでいるかどうか。そうすれば、知らなかった内容や「読んだだけ&聞いただけ」ではスルーしていたことに後から気づくことができるはず。

このように「表には見えないけれども裏ではつながっていた」と気づけることも、「3分間」という短い時間で物事をまとめるメリットの一つだと言えます。

ここでは3分としましたが、実は必ずしも3分でなければならない、というわけではありません。重要なのは「より時間のない状況下で、より効率的に大事なことを覚えたい&アウトプットしたい」のであれば、短い制限時間を設定して情報を抜粋して書いていくということです。

読者の皆さんの中には、仕事や家事などで忙しい方もいらっしゃるでしょう。その中で、自分のキャリアアップや資格試験のために時間を有効活用したい。そんなとき、一つの目安として思い切って「3分」と区切って取り組んでみてください。

時間のかけすぎはデメリットに

「紙1枚×3分間」勉強法のやり方は伝わったと思います。早速始めてみた方はもうお気づきでしょう。「3分間」は想像以上にあっという間に過ぎます。

ここで注意すべきなのは、3分間では足りないからと時間をかけてしまうこと。**時間のかけすぎは記憶の「劣化」を促進させる**というデメリットを生むのです。効率よく勉強しているつもりが、記憶にはマイナスになってしまうわけですね。

とにかく3分間を死守して要約する！

要約が難しければ、大事なところだけを抜粋してメモを取る形でも大丈夫です。

でも、3分間という時間は守るようにしてください。制限時間をポジティブに捉えて、ポジティブに使いましょう。

そして、自分が大事だと思う部分を要約する！

目の前にある文字を写経するのでは意味がないことをお忘れなく！

情報の抜粋に命を懸けよう

「紙1枚×3分間」には、ほかにもメリットがあります。

物事の幹の部分を捉えられるようになる、ということです。

制限時間内で見聞きした情報をすべて書き出すのは不可能ですよね。覚えるべきところを精査して、細かなところは切り捨てることになります。物事の枝葉を省き、大切な部分を捉えられるようになるということなんです。

世の中には、教科書を丸写ししたり、まとめノートを作ったりすることにすべてを懸けている人たちがいます。それだと結局、記憶の「劣化」に対して非常に弱い。その点、情報の取捨選択を行い、書いていったことは強い。

脳的には、書いたものは、得た情報の中でも「特に覚える必要があるもの」として差別化されます。人間は見ているだけでは、その内容を記憶に焼き付けにくいものです。というか、視覚は、基本的に情報量が多すぎるんです。情報が多い分、情報の差別化がされにくい、つまり「覚える必要があるもの」を認識しづらいということです。

そして情報は枝葉が省かれていればいるほど、「劣化」や「干渉」の影響を受けにくくなります。最も大事な根幹の知識を長く保つことができるわけですね。

分厚い本や分厚い参考書・問題集に挑戦するときは**「で、何が言いたいの？」という問いを自分に投げかけながら、枝葉を削ぎ、内容をまとめていく姿勢を貫いて**

ください。そうすることで残すべき情報が精査されて、頭に刻み込まれやすくなります。

「で、何が言いたいの？」は究極の問いかけです。何かインプットをする際にはぜひこの問いかけを行いましょう。

「グレードづけ」で高速復習を実現する

最後に、復習そのものをスムーズに行っていく方法をお伝えします。ここまででお伝えしたことを整理していけば自然に見えてくるはずです。

自分の中で要点をまとめることが効果的だということは理解してもらえたと思います。書く内容を抜粋すること＝情報の取捨選択ができていることになりますね。これは別の言い方をすると「グレード化」。「これは重要な情報だ、これはその次に重要な情報。そして、これはあまり重要ではないから覚えなくてもいい」という選択の行為の中での「振り分け」になるんです。認知的にも脳に対する刺激になるので、脳の発達につながります。

この「グレード化」をさらに応用します。私たちの塾では必ず、**「ミスのグレードづけ」を推奨しています。**

例えば、同じミス（不正解）でもミスにはレベルがありますよね。まずＡからＢ、Ｃ、Ｄとランクづけをします。ミスの中でもグレードを分けていくのです。ＡＢＣＤでランクづけをすることによって、より効率よく、どの問題を復習すべきかを可視化します。

〔ミスのグレードづけ〕
Ａ：１００％解けます
Ｂ：ちょっと怪しい
Ｃ：４割ぐらい
Ｄ：手がつけられない

そして、そのミスの「日付」と「回数」を必ず書きましょう。「何月何日時点でBだった」のか、「何月何日時点でDだった」のか、面倒くさがらずに書き留めてください。この記録は常に行ってください。

この記録を見ていくと、自分の「苦手分野のグラデーション」が明らかにわかります。

例えば、一発でDからAになった問題もあれば、D→D、D→Cと推移していく問題もあるでしょう。DからAに一発で行けているのであれば、その問題はもうやらなくていいとわかりますよね。1回で覚えられたのであれば、それはすんなりと頭に入ったということです。でも、「Dが続いている」、または「Cにしか上がらない」ということは「苦手分野」ということになります。すると、復習は「Dが続いている」または「Cにしか上がらない」を重点的にやったほうがいいことが見えてきます。はっきり言います。

グラデーションをつけずに問題集を解くのは、超時間の無駄。

5/3 8/12 11/10

B A 問6 Our boss is a hard worker, but can be difficult to get [13]. (A)

① along with ② around to ③ away with ④ down to

A A 問7 When Ayano came to my house, [14] happened that nobody was at home. (A)

① it ② something ③ there ④ what

B B 問8 We'll be able to get home on time as (A) as the roads are (B). [15] A

① A：far B：blocked ② A：far B：clear
③ A：long B：blocked ④ A：long B：clear

C B 問9 I know you said you weren't going to the sports festival, but it is an important event, so please (A) it a (B) thought. [16] B

① A：give B：first ② A：give B：second
③ A：take B：first ④ A：take B：second

D C 問10 I didn't recognize (A) of the guests (B) the two sitting in the back row. [17] B

① A：any B：except for ② A：any B：rather than
③ A：either B：except for ④ A：either B：rather than

2020年度センター試験

グラデーションをつけることによって「もうやらなくていいもの」や「極力やらなくていいもの」、「すぐにやったほうがいいもの」とミスを振り分けることができます。○か×かだけだと、×の中にある苦手の程度の差に気づきにくくなるんです。

漏斗という理科の実験器具がありますよね？ 液体をろ過するときに使う器具ですが、情報もろ過して、どんどん絞っていきたいんですよね。絞り込みを繰り返して、「自分が本当にわからないところは何なのか」というところに帰着させましょう。

仮に400問が収録された問題集を使うとします。400問が次の漏斗で200問になって、その次で100問になって、その次で50問になって、最後30問に絞ることができたとします。そうすれば、試験直前1週間にやるべきは、最後に残った30問だということに気づけるわけですね。

……と、ここまで力説しているのに、それでも参考書や問題集が真っさらな状態で試験本番に臨む人が一定数います。「意味なくない？ メルカリにそのまま売るのか？」とツッコミたくなりますよね。

本番当日に持ち込むのは1冊。あなた色に染まった「最高の効率で復習ができる1冊」を作ってほしい。別にラインマーカーの色を指定するつもりはないのですが、一定のルールを決めて作ってほしい。

例えば、1周目で間違えたものに関しては黄色を引こう。2周目で間違えたところには、黄色の下に緑の線を引いて緑黄色にしよう。3周目も間違えたものは、さらに上から赤で波線を引こう。4周目で間違えたらほかのノートに全部写していこう……。

このような感じで、どんどん**「苦手分野のグラデーション」をカラフルに**してみてください。つまり「ぐちゃぐちゃ書いてあるものほど超重要」ということ。すると、本番直前で緊張した瞬間でも、開いた瞬間に「ここを見ておけ」がわかるようになるわけです。

ここを1周目は黄色マーカー、2周目も黄色マーカー、3周目も黄色マーカーでラインを引いていたら、ひたすら黄色が増えるだけで「差別化」ができていません。いつまで経っても「苦手分野のグラデーション」がかからないんです。

試験前日や当日に何を見るべきか、瞬時にわかるようにする。

そんな自分色の参考書や問題集を1年かけて作ってほしいですね。

ダメ押しのメッセージですが、「これを目的にしてやっているんだ」ということを日々の学習の中で意識しましょう。マーカー引きも「試験直前に見るべきものを目立たせるために今グラデーションをつけてやっているんだ」ということを自覚してください。それが、自分色の問題集作りなのです。

なぜ「復習前提」の勉強をするのか

復習も「エビングハウス曲線」の理論をちゃんと絡めていかなければいけません。「グレード」と「日付」をつけるとしても、1週間ごとにグレードづけをしてもあまり意味がないんです。

答えを暗記しているだけか、それとも理解したのかを見極めるためにグレードづけの間隔としては少なくとも1カ月か2カ月は空けたいところ。となると、1冊の問題集を4周するとなれば、4カ月から半年ぐらいの期間が必要になります。第1章でお伝えしたその1冊を完璧にする「1冊集中法」を前提にすると、それぐらい前もって取り組む必要があるんです。1冊を完璧にするのはなかなか難しいんです。

よく「1カ月で終わらせる」と言う人がいます。でも、それは「終わらせただけ」。多くの学習者が1回目の×がついたぐらいで「終わらせて」いますが、何も実になっていないのでは全く意味がありません。

復習からが勝負！

ようやく勝負に臨むというところで、そこで終わったり、間に合わなくて試験を迎えてしまっては本末転倒じゃないですか。大学受験に例えるなら「問題集で×をつけて終わって、はい、浪人」。そんなことは本書の読者の皆さんには避けていただきたい。

勉強とは復習が前提。後でどのようにやり直すと効率がいいのか、どの問題をやり直すべきなのかを想定した勉強をしていきましょう。

これがポイント

勝負のカギは集中×復習。
とにかく手を動かして、
3分で結果をまとめる!

第3章

【インプット法】

五感をフルに活用して、
脳に「焼き印」をする

「手書き」から始まる勉強革命

第2章で「紙1枚」に「3分間」で復習しよう、という方法を紹介しました。

書くことで手からインプットする。

↓

手書きの字を見るとノイズ要素で後頭葉が刺激されてインプットが深まる。

↓

書いたものを見ながら声に出してアウトプットする。

↓

「さっき書いたものって何だったかな」と、紙を見ずにアウトプットする。

↓

そのアウトプットを見て、またインプットする。

インプットを見てアウトプットするという、**「インプット・アウトプットの繰り返し」で記憶を長期化させていく**ということが、記憶を長続きさせる方法として最適ではないかと思います。

学習の根本は「暗記」である

皆さんの中で、和田秀樹先生の『数学は暗記だ！』（ブックマン社）を読んだことがある人はいますか？　この考え方に対して「違う」と言う人がたくさんいますが、私はぶっちゃけ「数学＝暗記」だと考えています。

もちろん、東大理Ⅲに合格するレベルの数学の知識になると、応用力や思考力、ひらめきといったものが大事になってきます。しかし、一般的な医学部や、東大理Ⅲ以外の学部に合格するためなら、ほぼ「暗記」と捉えて構いません。頭の中に何もないと、発想すら生まれないですからね。

暗記で頭の中にレパートリーを作ろう！

例えばですが、「三平方の定理」がいきなり天から降ってくることはないですよね。暗記して知っているからこそ、そこから何かひらめきが起きるわけです。

数学だけではありません。化学なんて「えげつない暗記」です。問題集1冊を完璧に覚えていただければ、偏差値が65、はたまた70近くまで行けてしまいます。なぜならば、問題集はバカじゃないから。問題集は抜粋された良問の集合なんですよ。

良問を暗記せよ！

良問を「暗記」すれば、ほぼ応用可能。というかある程度まで発展させることができます。問題の数字が普段使っている本と違っても対応できます。

ほぼその知識で解けるから、その1冊を完璧にしよう。

結局、第1章の「1冊集中法」に収斂していくんですね。

「応用力がない」と悩んでいる生徒に限って、「暗記」ができていません。応用というのは、結局、基礎の組み合わせです。「基礎が一つでも欠けていたら、その応用も想像すらつかない」ということです。

料理に例えてみましょう。暗記をしていないということは「そもそもお前、食材持ってないじゃん」と同じなんです。それに「創造的な料理を作ろう」と思ったときに、料理の基本を知らなければ、実現することは難しいですよね。普段、冷凍食品をレンジでチンするだけの人が、創造的な料理を作り出せますか？　基本の料理ができるからこそ、「これとこれの組み合わせはどうなるかな」という発想がわくわけです。

勉強も同じです。

勉強における応用とは「点と点をつなぐ」ということ。

「点」は知識、つまり自分の手持ちカードです。手持ちに何もなければ、点と点がつながることはありません。愚直に「暗記」と向き合いましょう。

勉強でいう「五感」とは何か

第1章でも「五感フル活用法」を提案しました。ここでは「五感を使う」を至極当然のものとして扱います。**何も違和感なく自然に使うレベルになってほしい**のですが、それでも勉強に五感を使わない人がいるのはなぜでしょうか。

もしかしたら「勉強でいう五感とは？」と思われるからかもしれません。では一つずつ見ていきましょう。

まず「視覚」。見る行為はよく行う分、わかりやすいでしょう。この感覚を使うだけで終わっていませんか？

次は「触覚」。手で書くということですね。これが一番大事！　その理由は本書で何度もお伝えした通りです。

その次に大事なのが口です。口を動かすと「運動覚」を働かせることになります。口を動かして声に出すと、耳で聞きますよね？　ここで「聴覚」が働くことになります。

これらをどう勉強に使うのか？　実例を紹介します。

暗記に使える「ボイスメモ」

私は昔、勝手に親のヘッドホンを愛用していました。ただ聞くためのものではなく、「自分で言ったことを5秒ぐらい遅れて話す」ヘッドホンです。スマホのボイスメモの簡易版と考えてください。

例えば、「６４５年、大化の改新」と自分で言ったら、「６４５年、大化の改新」とヘッドホンから遅れて聞こえてくるんですね。

実は、この遅れが暗記に大事と言われています。こんなヘッドホンなんか使わずに自分が声に出したものを耳にするのと何が違うのでしょう？　実は、リアルタイムで聞くのは、暗記のためのインプットにしては速すぎるんです。**わざとズラすのが大事！**　ここ、覚えておきましょう。

音声を使った学習は、他人の声や機械音でも効果はあるのですが、私は自分の声が一番だと思っています。第2章で手書きの文字のノイズの話をしました。自分の声を自分で聞いたときの違和感ってすさまじくないですか？　私はこれをノイズだと考えます。だからこそ、強烈に記憶に残るのでしょう。

録音機器が発達した現代では、いつで

もスマホに自分の声を入れて、イヤホンで聞くことができます。普段、勉強しているときに何かボソボソしゃべっているのであれば、それを全部録音しておけばいいです。勉強中に自分が覚えたいことをボソボソしゃべって録音。そのボイスメモを勉強の休憩中、暇なとき、お風呂や食事中に流しておくのも効果的です。ぜひフル活用してほしいですね。

自分の声をボイスメモで録音して、その声をインプット用に使ってください。確実に、記憶の残り方が変わってきます。

「ジョギングしながら」勉強するワケ

勉強に集中できないときは、散歩をしながら、あるいはジョギングをしながらリスニングをするのはどうでしょうか? 「足を動かす」ということによって、五感が刺激されるわけです。そうすると、次のようなことができます。

情報に色をつける！

例えば、今日覚えたいボイスメモを、足を動かして外を見ながら聞いてみる。これも五感に訴えかけているわけです。**いつも「同じ環境下で勉強している」と、視覚的には何も変わらないので、情報として色がつかない**んですね。でも外でジョギングしながらの勉強なら、体を動かし、見える景色も変わる。情報に色がついて、記憶に刻み込まれていきます。

同じジョギングでも、その日はたまたま救急車が走っていたら、それも一つの刺激になります。一見、ささいだと思うことでも、これが効く。徒歩での移動や散歩でもいい。五感を刺激しながら、自分の声でノイズ要素を利用することによって、記憶への残りやすさが格段に上がっていきます。五感に訴えるインプット法は思っている以上に効果的です。

まとめると「どこで、何を、覚えたか」という外的環境も含めての知識が入るということなんですね。例えば、「近くの喫茶店で大化の改新を勉強したなあ」というような、**外的環境を利用した「知識のつけ方」が普通になってくると、知識のイ**

ンプットは加速度的に増えていくでしょう。

「歩く」vs.「座る」はどちらが有効か

五感を使ったインプットは、歩くことに絞ると、大腿筋を使うという点でメリットがあります。大腿筋は大きい筋肉です。使うことで血流が良くなって脳の回転も良くなります。暗記のときは歩きながらやるのがいいと聞きますね。

ずっと座って勉強していると、血流は停滞します。さらにイライラも増加。足がうっ滞しているような感じになりませんか？　**勉強は座りっぱなしではなく、部屋の中をウロウロしながらすることをオススメします。**勉強に飽きたり、集中できなかったりするときにぜひ取り入れてみてください。

「場所を替える」となぜいいのか

外的環境について少し話を戻すと、どのような場所で勉強するのが効果的か気になるところでしょう。自室や自習室、図書館などいろいろな候補があります。自分が勉強に集中しやすい場所を探し続けましょう。

加えて、いつも同じ場所ではなくて、たまには別の場所、カフェなんかに行くのも良いでしょう。これも立派な刺激になります。ジョギングの例と同様で、視覚情報の強度が変わりますね。

忘れた頃にインプットし直せ

さて、皆さんはインプットした知識をどのタイミングでアウトプットすることが必要なのかを考えたことがありますか？

試験に向けて記憶の強度を最大に持っていく！

これです。

インプットした記憶のピークを試験日などの勝負の日に持っていく必要があるわけです。正直なところ試験から1カ月後には忘れていてもいいんです。改めて復習をすればいいだけですから。もちろん次の試験と被っていなければ、です。何度でも繰り返しますが、忘れた頃にもう一回やることが非常に大事なんです。

復習をするとなるとよくやってしまうのが、毎週同じことをやって覚えた気になることです。それは覚えたのではなく、単なる短期的な記憶です。1カ月後に覚えているかどうかが重要なのです。

まずは、翌日に復習すること。1週間後に復習することも大事です。何度でも言うように、短期記憶ではダメなんです。試験日に覚えていないと意味がありません。

短期記憶から中長期記憶に変えていく!

記憶とは、次に触れるまでの間隔が広いほうがベターです。**少し時間をおいてからのほうが、より強く記憶に残る**んですね。「1回で完全に覚えたつもりでも、忘れていたわ」という状態で再インプットすることで、2回目の記憶が色濃く残ります。要は「忘れていた」というものすごいディスアドバンテージに上乗せされるわけですからね。記憶にグッと刻み込まれるのです。

忘れることを恐れるな!

「記憶のアハ体験」が復習のコツ

では具体的にいつ頃復習すればいいのか。目安のタイミングを挙げるなら「あ、これ、そういえばやったわ」くらいのときがちょうどいいですね。「やったことがあるけど、これ何だっけ……」と思い出そうとする行為により、脳はかなり動いています。「ああ、これ、知ってる」とやっていても何の刺激にもならないじゃないですか。「あー、これなんだっけ、えっと、えっと、えっと……」となるぐらいのタイミングに復習を入れたいところです。

忘れて思い出す瞬間が大事！

ちょっと思い出してみてください。学生時代、模試の後に覚えている問題は「やべー、できなかった」とか「あれ、マジでダメだった」とか、そういった「できなかった問題」ではないですか？　これこそ「思い出そう」としている頭の働きです。

そうやって頭に残っている問題は1つや2つじゃない。結構あるはず。わからなくて悩んでいる分、強く記憶に残っているのでしょう。重要なのは、それらに対して「思い出せた！」「わかった！」と、記憶のアハ体験をどれだけ味わえるかです。忘れたものを思い出すとき、記憶の強度は最高に上がります。

思い出せなくても、速攻やり直せばいい！

もしそこで記憶のアハ体験が得られなかったら？　速攻、復習！　インプットし直す必要があります。そして、記憶に刻まれたかどうかをチェックするのは、自分がある程度忘れた「数カ月後」がオススメです。

米国の心理学者のロバート・ビョークとエリザベス・ビョーク両氏の研究でも、いったん学んだ情報を、パッと思い出せなくなったタイミングで思い出す練習をすることで、その情報が記憶に強く定着することが実証されています。これは「想起強度」と「保存強度」という言葉で説明されます。「想起強度」というのは、思い出すときにどれだけ苦労したかということです。「保存強度」は苦労して思い出したものはめちゃめちゃ保存されることを意味します。

忘れても諦めるな！

保存強度は、思い出せなくなってから「思い出そう」とすることでより高まっていくのです。

なぜ「テスト」をしなければダメなのか

第１章でもお伝えしましたが、テストもせずにやった気になるのは大間違いです。

テストをしないなんてなめてるのか。

さて、世の中にはテストすることに対してビビっている人が一定数います。大学受験でも「模試を受けたくない」とか「過去問を解くのが怖い」とか言う受験生がいます。

「ちょっと模試を申し込むのを忘れちゃって」
「赤本を買うタイミングを逃して」
「買うお金が……」

何だ？　そのキャラ？

確かにテストを受けるのは怖いです。なぜなら「思い出せない」ことを自覚することになりますから。嫌なのはよくわかります。しかし、その「忘れた」「思い出せない」体験を経ないと、保存強度は上がりません。**忘れていることは決して悪いことじゃないんです。**これは心に留めておいていただきたい。

もちろん、模試でいい点を取ってみんなにいい顔をしたいとか、塾で褒められたいとか、バカだと思われたくないとか、恥をかきたくないとか、いろんな感情がうずまくと思います。

でも、よく考えたいのは「最終目標はどこですか」ということです。皆さんの最終目標は「資格試験に受かる」とか「大学に合格する」であるはず。

もう一度言います、テストの点がよくない＝忘れている、それ自体は決して悪いことじゃない！　記憶の強度を高めるチャンスです。だからこそ、自分でテストを課すことをネガティブに捉えずに、自分に厳しくあってほしいと思います。

自分に対して厳しくあれ！

勉強では最終的には、メンタルの強さがすごく大事になってきます。自分に対して厳しい人間こそ、自分に対するテストを常に行っているからです。

勉強だけではなくて、運動でも同じことが言えるでしょう。例えば、朝に起きられないのであれば、朝起きること自体が「自分に対するテスト」だと言えますよね。ここで自分にテストを課している人なら、「俺はこの時間に起きてやると決めたんだから起きるんだ」と行動できますし、テストを課さない人ならぬるっと「もう一回、寝ちゃおう」と二度寝してしまうことでしょう。

テストを課せない人は、何をやっても大成しない。

人間はテストがないと勉強しません。テストがあるからこそ勉強するわけです。

かと言って、資格試験にせよ、大学受験にせよ、1年くらい先のテストを目指して今から死ぬ気でやれる人は何人いるんでしょうか？

だからこそ、**定期的に小テストをしたほうがいい**んですよね。**それも「自分で」**ということ。たとえ「ああ、何だっけ？

忘れてた……」となっても、それはそれで記憶強度が上がるチャンス。いい体験なわけです。

日々のテストとは、結局のところ本番で「何だっけ」とならないようにするために行っていると考えていただきたい。

小テストを自分に課すということができる人は、塾やコーチングは必要ありません。だって、自分で自分の完成度や、勉強のクオリティー、尺度を測ることができるのですから。塾に通う必要はないし、自分でやったほうが効率的。そんな人も実際にいるんです。

テストを課す環境作りのコツ

現実を見てみると「自分でテストを課していこう」と思って実行できる人は上位2割で、残りの8割はできません。下位2割なんてその発想すらないレベルですね。優秀な2割は、ぶっちゃけ何をしていても優秀なので放っておけばいいです。上位2割の方は今すぐこの本を閉じてください。私が勉強法を伝えたいのは残りの8割の方です。

基本的には「自分でテストをしようと思っているけれども、なかなか厳しくできない」という人たちをサポートしたいと思っています。塾の場合、私が第三者としてテストを無理やり課す。何なら毎授業でテストを課すようなイメージでしょうか。

大切なのは**小テストを頻繁に行って毎回アウトプットをして、想起強度を上げて、記憶の保存強度も上げる作業を行う**こと。

塾やコーチングなど第三者に、そういう環境を作ってもらうのもいいでしょう。同じ資格を目指している人を見つけて、お互いに週に1回ずつテストを出し合うというのもいいですね。ＳＮＳで同じ勉強をしている人とつながって、グループを作るのも効果的です。

心理学には「テスティングエフェクト（テスト効果）」という研究があります。簡単に言うと、「情報を思い出すことで、記憶は強化される」ということで、その学習促進効果はメタ分析という信頼性が高い分析法で証明されています。小テストが「あり」か「なし」かといったら、絶対に「あり」。小テストをしたほうが記憶強度は強くなり、学習効果も高まるんです。

自分へのテストで、ボイスメモを活用するのもいいですね。「問題、〇〇は何でしょう?」と吹き込んで、後で聞いてテストすることもできます。テストは工夫次第でいろんなやり方があります。あなたは実行できる2割の人になれますか? 勉強の効果を高めるためにもぜひ取り入れてみましょう。

自分で追い込むことには限界がある

自分をギリギリまで追い込むというのはなかなか一人ではできません。例えば、スポーツの場合。プロ野球選手やプロサッカー選手が、たった一人の力で自分を追い込めているでしょうか。どんなプロだってトレーナーをつけている。プロ選手でも自分だけで自分を追い込むのは難しいんです。

トレーナーやコーチは専門知識や経験が豊富ですが、正直、パフォーマンスは選手のほうが高い。それでも選手は、トレーナーやコーチの存在を必要としているのです。勉強においても全く同じです。そう考えると、あなたはどうですか？　あなたは選手ですか？　それともコーチですか？

自分をマネジメントしようなんて100万年早い。

これが現実です。でもわかっていても、お金をケチって自分でやろうとしたり、自分の能力を過信して一人でできると思ってしまったりする人はたくさんいます。そうなると「非効率的な時間を過ごしている」可能性が高い。実際、プロの選手でもプロのコーチについてもらうのですから。素人がプロをつけない理由はないのではないでしょうか。

さらにそこには心的制約がかかります。「お金を払っちゃったからやらなきゃ」とか、「テストを課されるからやらなきゃ」とか。

もしかしたら「お金をかけないで自分だけでやろう」というのは言い訳で、何の制約もかけたくないから、つまり「ただの逃げ」かもしれない。その可能性を疑ってみてもいいかもしれません。

自分でマネジメントできるかどうかの境目は、**自己テストができるかどうか。できなければ他人にお願いする**、これでいいんです。世の中には、自分ではできない人のほうが圧倒的に多い。大切なのは、その弱みを自分で把握しているかどうかではないでしょうか。

ちなみに、私自身も、自分でできない側の人間です。私はゴリゴリに塾に行きました。私のポジティブでドMな性格がプラスに働いたという付加要素はあるのですが、自分でテストができない人間だっただけに塾をフル活用しました。

これがポイント

学習の根本は「暗記」。
忘れることを恐れずに、
自分にテストを課せ！

第4章

【時間術】

インターバル勉強をする賢人、
フルマラソン勉強をするバカ

なぜ「インターバル」が必要なのか

皆さんは「パーキンソンの法則」をご存知でしょうか？　イギリスの歴史学者シリル・ノースコート・パーキンソン氏によって提唱されたものです。以下で簡単に説明しますが、もっと詳しく知りたい人はググってみてください。

さて「パーキンソンの法則」は一言で言うと、「**人は時間とお金があったら、あるだけ使っちゃう**」です。時間が無限にあるとダラダラと使ってしまう……これって、勉強時間に当てはめると、めちゃくちゃ非効率的ですよね。有限設定にしないと、効率的な時間の利用は難しい。

そこで私たちは、勉強にも「ユニット時間」を決めることを提案しています。1ユニット50分とか1時間、ある程度の学年になったら90分。ユニット時間ごとに区切って休憩、つまりインターバルを挟みます。

集中力の波の幅を狭めよう

集中できる時間というのは人それぞれですが、一般的に練習していないと60分以上はもたないものです。

しかし、世の試験時間は80分、90分が多い。高校生なら大学入学共通テストに向けて、社会人なら受験する資格試験などに向けて、試験時間に相当する時間をしっかり集中できるようにしておいてほしい。

とはいえ、ずっと１００％集中は無理なものです。90分間で集中力には多少なりとも波が出ると思いますが、その波を許容範囲に収めたいですよね。ガクンと集中力が落ちてしまうようなことがないように、ブレをできるだけ小さくして、このラインを割らないぞという時間を90分まで延ばしていきたい。

なお90分というのは大人の話です。小学生だとどうやっても無理。小学生は30分間の集中を目指しましょう。中学受験の試験時間も30～40分ぐらいです。小学生の勉強は1ユニット30分にし、休憩を挟んでまた、次のユニットに入ってください。

そして、**毎回その1ユニットの中で何をやるかを事前に決めておく**とベターです。今日は何をやろう、次は何をやろうと悩む時間は無駄ですからね。

PDCAは最低3回行うこと

目標管理においてPDCAを実践するのはもはや常識です。勉強でも絶対にやったほうがいい。**勉強におけるPDCAサイクルで、一番大事なところはCの「チェック」**です。プランを立てて、実行して、その後に必ずチェック。このチェックは、特に前章で触れた復習や記憶の効率につながります。

仕事の場合、一つの仕事を終えて次の仕事に取り掛かる、言うなれば、PDCAを回して、次のPDCAを回して、そのまた次を回して……となりますが、勉強の場合は蓄積する必要があります。蓄積される仕組みのために、チェック回数がすごく大事になってくるんですね。

受験生に圧倒的に多いのですが、計画倒れしている人というのはチェックができていない人です。実行まではいい。でもできるようになったかどうかを確かめもせずに、次にこれをして、次にあれをしてと、やりっぱなし。これでは蓄積などされず全部消えるだけです。

勉強ではＰＤＣＡを１回まわしたところで意味はないんです。基本的に３回転、いや**少なくとも３回転**させましょう。１日で３回転するのではなくて、例えば**１単元に対し、その日、１週間後、１カ月後と期間を空けてＰＤＣＡを回していく**のです。

そしてプランを立てるときは、「チェックをいつやるか」を含めて計画しましょう。忘れがちですが、チェックも計画の一環。そのチェックをしたときにどうだったのかによって次の行動計画が変わります。

合格までのＰＤＣＡの中に、各科目のＰＤＣＡがあり、一つの科目の単元ごとにもPDCAがある。マクロなPDCAとミクロなPDCAがあるということですね。

このPDCAの層構造がすごく大事。でも3層、4層でPDCAを回していくときの管理が大変です。チェックのところでポイントが多すぎて煩雑になってしまうんですね。管理をある程度自分でできる人はいいのですが、できない人は第三者を入れましょう。チェックだけしてくれる人、例えば家庭教師だったり、個別指導の講座だったりいろんな方法があります。

基本的に、計画なんて崩れる前提で存在しています。改善しない計画なんてあり得ない。もし自分の計画に改善の必要なしと思ったら、本当にチェックができているか疑ってみてもいいかもしれません。

「改善前提」で計画を作る

私の塾では、計画表は1週間、もしくは2週間ベースで表示しています。そして日曜日や、特定の曜日を調整日に設定しています。ここで学習内容が先取りできていれば計画を前倒しにし、遅れていたら調整日を使って合わせていきます。

ですが世の中にはバッファがない計画表を作る人が本当に多い！

計画表で「3カ月でこの参考書をやろう」と書かれていても、1日で何をやるかは書かれていない。最初は「3カ月でこれをやればいいのか、なるほどね」と思ってやらずに、後々になって「やばい、後1カ月でやらなきゃ」と急いで終わらせている人が結構いるんです。それって計画と言えます？ もっと**細かく「今日は何をする」「何時に何をする」まで決めて初めて計画と言える**のではないでしょうか。

また「3カ月でこの参考書をやろう」だけでは、取り組み方が人によって異なるでしょう。「3カ月でこれを1周すればいいんだ」と思う人もいれば、勉強に慣れている人なら「3カ月で3周すれば完璧になるかな」と考える。細かい条件のすり合わせも重要です。

仕事ができない人は、計算ができない

よく「頑張ってるんだけど」という人がいます。ここで私たちがよく言っているのは、「**ＯＫラインを自分で決めない**」ということです。

どれだけの量をやればいいかのＯＫラインは、受験なら、実際に合格した人か、生徒を合格させる講師などが決めること。ビジネスパーソンなら会社です。仮に１カ月に１００万の売上げというノルマがあったとき、こう考えることができますね。

１カ月で１００万の売上げ
←
１週間で25万ぐらい上げないといけない
←
１週間の出勤日は5日だから、１日5万計算

1日5万の売上げを立てるためには5件のアポが必要
↓
アポ獲得率は1割
↓
10時間労働として、1時間あたり5件の営業メールを送る
↓

というふうに落とし込んで1日のスケジュールが決まっていくわけです。これができない人がいわゆる仕事ができない人ということ。

全部数値化して、数字を一つの基準にするといいでしょう。「頑張っているんですけど」と言われても、「で？」としか言いようがありません。

「自分の現在地」を知ると、強くなる

うまくできていないとき、一番マズいのは「自分の現在地」を把握できていないことです。あるあるなのですが、できない人ほど自分の能力を見たがらない傾向にあります。

これは特に受験や仕事に当てはまります。中途半端な自称中級者ほど自分のことをわかっていません。それはなぜか。自分ができること、できないことを明確にしていないからです。だって「できない」を突きつけられるのは厳しいことだ

から。

自分の本当の現在地を知るためには、この「できない」を受け入れられる強いメンタルや、後方サポートが必要です。「『できない』を見たくないけど、不合格も嫌」。そんな人がカンニングなどの不正に走るのだと思います。

一度、原始人になれ！

ではどうしたら「できない」を受け入れられるようになるのか。私たちの塾では、入塾の際にプライドを粉々に粉砕します。一度、原始人まで戻すんです。

自分の現在地を把握していないようでは、スタート地点にすら立てていません。孫子の言葉に「彼を知り己を知れば百戦殆からず」があります。「敵と味方の情勢をよく知っていれば、どんな戦にも勝てる」という意味です。**敵だけ知ろうとして自分のことを見ないようでは、勉強でも勝てません。**

とはいえ、自分の弱みや強みを、自分だけの力で把握するのは、相当強靱なパーソナリティーの持ち主か、相当賢い人でないと難しいものです。でも人に聞くことはできます。例えば友達10人に「俺のいいところってどこ？　悪いところってどこ？」と聞くとか、勉強だったら自分の試験結果の採点を他人に丸投げするとか。自分の現在地を知るには、人の手を借りるのも一つの方法です。

「中期目標」がすごく大事なワケ

マクロなPDCAとミクロなPDCAの話をしましたが、別の言い方では「小PDCA、中PDCA、大PDCA＝短期目標、中期目標、長期目標」と表現できます。なかでも、中期目標というのがすごく大事。例を挙げると「大きな模試」が中期目標にあたります。

でもこれだとアバウトですよね？　目標に対して何をしていくかがない。この「中期目標に対して何をするか」が「短期目標」なんです。大きな模試が中期目標なら、その短期目標は小テスト……。なのですが、この小テストに向けてひたすらインプットだけをしている人がいます。

アホ中のアホ。

これでは、小ＰＤＣＡの蓄積にはなりません。インプットした知識はロケット鉛筆のように全部押し出されて出ていくだけでです。その状態で３カ月後を迎えて、「３カ月頑張ったのに全く成績が変わらなかった（泣）」となるわけなんです。

そりゃそうだ。

私は受験生の面談でこんな例え話をします。完成図が決まった壮大なドミノを作るとします。とりあえずドミノ牌を立てていくのだけど、後ろの様子を全く確認しないと……ふと振り返ったら全部倒れている。そして「ああ、最初からやり直しだ」と泣きを見るわけです。

この例え話で何が言いたいかというと、「**常に後ろを振り返って、現状やってき**

たことが『ちゃんと立っているか』を確認しよう」ということなんです。前だけに集中しない。時に3歩進んでも2歩下がらなければならないことを理解してほしい。

勉強もドミノ倒しのように、確認せずに一気に最後までやって、また最初からやり直すとなると、もう前半にやったことはほとんど忘れています。3歩行っては2歩下がる、3歩行っては2歩下がるという地道な繰り返しを続け、着実に蓄積するように勉強していくことが大事です。

「フルマラソン」から卒業しよう

勉強はフルマラソン的に休憩なしでやり続けても効果が薄いことがわかっています。

ベネッセコーポレーションと東京大学の実験では、60分間ぶっ続けで勉強した人と、インターバルを取って15分3セットで勉強した人では、後者のほうが成績がいいという結果が出ています。

ここで先ほど紹介した「パーキンソンの法則」を思い出してみてください。時間はあるだけ使ってしまうってやつです。60分間ぶっ続けでやる場合、「60分もある」っちょっと余裕に思っちゃいますよね。一方、15分×3セットなら「15分しかない！」と制約を感じます。そのちょっとしたストレスが、いい意味で負荷になり集中力につながる。

勉強にはフルマラソン的思考ではなく、インターバル思考を。60分を長いと思うか、15分を短いと思うかは人それぞれですが、私は集中力のために時間の制約をかけたほうがいいと思っています。

このベネッセと東大の実験結果のように、世の中には明らかに「こっちのほうが有利ですよ」という勉強方法があるにもかかわらず、それでも「俺はこれがいいから」と独自の勉強法をやり続ける人がいます。

なんでやねん。

勉強では、自分とは違った方法や考えを素直に受け入れられる心が大切です。

なぜ「フルマラソン思考」はダメなのか

さてこの勉強におけるフルマラソン思考の弊害。これは一事が万事というか、いろんなことに置き換えられます。わかりやすい例が小学校の夏休みの宿題。

「まだ夏休み始まったばかりだし」
←
「まだ8月の真ん中だし」
←
「後3日しかない」
←
「やべえ」

最後に焦りまくるやつです。

自分で勉強ができる人は、夏休み全期間の中に「小夏休み終了日」みたいな区切りをつけて、そこまでに何を終わらせるみたいな計画を立てて、実行するんですね。

これは大学受験や資格試験も同じで、「試験日までまだ1年ある、まだやらなくてもいいや」となってしまう。本当にそれでいいのか？　自分で計画を立てるのが難しければ、第三者に助けてもらうことも考えましょう。

インターバルの良い取り方、悪い取り方

勉強では60分ぶっ続けよりも、休憩を挟んだ15分3回のほうがいい。それは休憩中に何かしら情報がリフレッシュされているからだと考えられます。つまり休憩の取り方にも注意が必要です。

ぶっちゃけ、休憩中だからといって、スマホを見たり、YouTubeを見たりすることは最悪なんです。と言うのも、スマホから得られる情報量が多すぎるから。多

すぎる情報の波に押されて、休憩前の15分で覚えたことを忘れてしまうんです。

インターバルではむしろ「何もしないほうがいい」というデータもあります。脳の中で反すうするみたいな感じですね。ただただ音楽を聴くだけとか、コーヒーを飲むだけでも高いインターバル効果が得られると言われています。

勉強は計画をしっかり立てることが何よりも大事。それプラス時間のマネジメント。適度なインターバルを入れて、ダラダラ勉強を防ぐということです。例として15分×3セットを挙げましたが、細切れの15分勉強が大変なら、高校生以上は45分を一区切りにして、5～10分の

インターバルのほうがいいかもしれません。

これを実行できるかどうかは、皆さんの目標に対する熱意に帰着します。「命懸けでやれ！」は大袈裟かもしれませんが、自分にそれぐらいのプレッシャーをかけられるかどうかがカギです。

筋トレみたいに負荷をかけて、負荷をかけて、自分を追い込む。追い込んでメンタルが不調になるのではなくて、追い込むことによってテンションが上がるメンタル運びができれば最高です！

それができない人が、夏休みの宿題状態になってしまうんです。

これがポイント

ダラダラと勉強するな！
目標も時間も管理が
できないヤツは勝てない。

第5章

【モチベーション】

思い込みでも「勉強＝楽しい」と思えたら勝ち

「苦しい」をなくすためのコツとは

思い込みでも勉強が楽しいと思えたら勝ち！　これはYouTubeでもよく言っていることです。ドMになってほしいとまでは言いませんが、苦しいというのは、所詮は主観です。主観なら変えられる。

サウナにハマっている人によると「寒いも暑いもお前次第だ」だそうです。室温、120度の部屋なんて普通に考えれば拷問です。でもサウナは拷問とは捉えられていない。そして熱いサウナの後に水風呂に入りますよね？　水風呂で水温が10度以下のものを「シングル」と呼ぶのですが、シングルってマジで寒いんですよ。いや、寒いなんてレベルじゃない。でもサウナ好きはあれを「超気持ちいい」と言うんです。むしろ、それを耐えきった先にととのう瞬間があると。

試験に向けた勉強はそれに似ている部分があると思います。そもそも勉強って拷問じゃないですか。やらなくてもいいと言えば、そう。資産が１００億円あったら、きっと誰だって勉強しないですよね。

でも、勉強の先に見える自分の達成感や、見える景色というものに快感があるんです。

勉強を嫌なものと捉えて勉強するのか、これはその先にあるとののいに向かっているための我慢だと捉えるのか。認識次第でクオリティーがめちゃくちゃ変わります。

受験生の方や、資格の勉強をされている方は日々つらいと思っているかもしれないのですが、ぜひ楽しんでほしいです。私は**楽しめるかどうかが、良い結果**

にほぼ直結すると言っていいと思っています。

「頭の筋肉痛」が必要なワケ

この本で私が伝えたいのは、「勉強に必要なこと」「実際に試験に合格する人はこんなことをしていますよ」ということです。そんなめちゃくちゃ無理難題を言っているつもりはありません。私が伝えたことをつらいと思うかどうかは、その人次第です。でも、そのつらさを楽しいと思えるよう自分でマインドコントロールしてほしいんですよね。

「つらい」が「楽しい」に変わるとヤミツキになります。というか、やった感がないと1日が終わった気がしないレベルになります。筋トレでも、筋肉痛が起きないとやった感じがしない、何なら生きている気がしないという人だっていると思うんです。

勉強なら頭に筋肉痛を起こさせましょうよ。頭から知識がこぼれそうなぐらい勉強した状態にならないと1日が終えられないレベルまで持ち込めれば、誰にも負けない自分になれます。快感になれば自分にとってすごく有意義な時間になるので、毎日やりたくなりますよね。そういうふうにプラスのPDCAを回してほしいです。

勉強がつらくて続けられない人はいませんか？　その「つらい」の見方を変えてみましょう。「つらい」を将来的なととのい、輝き、合格……何でもいいので、**プラスの面にフォーカスできれば、毎日がだんだん楽しくなってくる**はずです。最初はマインドコントロールでも思い込みでも何でもいいんです。勉強がつらい人は自分で脳をごまかしてみてください。

モチベを変える「ネガティブカウンター」

勉強が楽しいと思っている人と、つらいと思っている人では、使っている言葉の種類が違います。

勉強がつらい人は「しんどい」とか「きつい」とか言いますが、勉強が楽しい人は「有意義だった」とか「充実していた」というセリフに置き換えているんです。

言葉の違いというのはすごく大きい。実はマイナスの言葉には、表裏一体でプラスの言葉が存在しています。

今の状況がつらいと思えてしまうのは、新しいことを学ぶのに苦戦しているからつらいんですよね。それをただ「つらい」じゃなくて、**「新しいことを学ぶ上での産みの苦しみ」のようなプラスのことだと考える。**「新しいことを得られるなら、それってすごく充実しているじゃん」と考える。

私はこの発想を「ネガティブカウンター」と呼んでいます。ネガティブなことをポジティブな言葉で全部返してあげるということなんですね。

勉強中に限らずメンタルの振れ幅はなるべく小さく、何ならずっとプラスで維持したい。ものの捉え方一つで、情報の脳への入り方が変わるんです。人は発する言葉がマイナスであれば、すべてにおいてマイナスを引きずってしまいます。発する言葉、いや、せめて脳裏に浮かぶ言葉だけでもプラスの言葉をチョイスしていきましょう。

一つの事実をマイナスと捉えるか、プラスで捉えるか。結局これも主観なんです。私もプラスに捉える練習をしていて、いっときすごかったです。例えば、コップの水をこぼしちゃったときに「ああ、最高に気持ちいい」と言って、親にドン引きされました。

私は大事な仕事に遅刻しても「あー、無事に着けて良かった」と思うものです。「あぶねー。間に合うように出ていたら、俺、事故ってたかもしれない。生きて着いちゃってラッキー」みたいな。

そういう発想ができる人というのは、新しい靴で出かけて、速効で犬のウンコ

を踏んでもラッキーと思えますからね。

「この靴、俺に合っていなかった」
「あぶねー、めちゃくちゃダサくてドン引きされていたかもしれなかった」
「捨てよう」

みたいな。ちょっと極端な例かもしれませんが、ものは捉えようなので、起こる事象に対してネガティブになる必要はありません。

勉強が「忙しい」という事象は、そもそも自分で選択した事象ですよね。あなたが資格などに「合格したい」から選んだ事象。自分でケチをつける必要なんかないんですよ。

自分の行動をディスってどうする?

自分の行動へのディスりは、過去の自分にうそをついている、過去の自分に対して「お前のせいだ」と言っているのと同じです。そうではなくて、未来の自分に対して、「これがあるから自分の目標が達成できるんだ、ありがとう」という気持ちでいてください。

また、実際に取り組む前に「やる気が」とか「モチベが」と、ウダウダする人には、こう伝えたい。

とりあえずやって考えろ！

やっていくうちにわからないことができるようになる。知らなかったことが頭に入る。それはちょっとずつでも、あなたが進歩した証し。やっていくうちに楽しくなってくるはずです。

今の「つらい気持ち」は残らない

そもそも勉強していてなんでつらいのかというと、わからないからつらいわけですね。できないからつらいわけで、そのストレスというのは、できるようにならないと解消されません。結局のところ、やるしかないんです。

例えばピアノ。最初は両手で譜面通りに弾くなんてつらいじゃないですか。絶対無理。無理だし、手も気持ち悪いし、できないし……。イライラしてピアノをたたいた人もいっぱいいると思います。

そのつらさを乗り越えて初めて、自分が弾きたかった曲が弾ける、人を魅了する演奏ができるようになる。その頃には、そのつらかったときのことって忘れていませんか？　もちろん、後で「そういうことが昔にあったなあ」と思い出すことはありますが、あのつらさに思いを馳せているわけじゃないですよね。

こと受験においても、つらかった日々というのは、その瞬間つらくても合格を手にした後からすれば、むしろいい思い出。「あのときの日々があったから良かった」とか「親にあれだけ厳しくされたおかげで今の自分がある」というように思い出すと思うんです。

過去というのは振り返ったときに、どうとでも自分の意識で塗り替えられる。今のめっちゃつらい瞬間も、10年後には「めちゃめちゃあのときの俺は頑張った、ありがとう」と思える瞬間になると思うんですね。皆さんには、そこまでの広い視野を持ってほしい。**すぐネガティブになったり、勉強に取り組めなくなったりしてしまう人とは、今の瞬間しか見られていない人です。**

今めっちゃつらい、今ゲームができていないのがめちゃくちゃつらい。視野が狭まってない？

人生のシャッタースピード、速すぎない？

人生をマクロに見れば、楽しくなる

だから、今がつらい。だったら、物事をもっとマクロに見てみましょうよ。自分は今何をやるべきなのか、それはゲームか、それとも勉強か。突きつめると、「10年後の自分は、どっちをしている過去の自分を愛してくれますか？」に帰着していきます。

少し軽く考えると、つらい経験って、将来的に「こんなバカなことをやっていたよね」って居酒屋で話すネタになりません？　そんな感じのネタを作るぐらいの気持ちでやってもいいんじゃないかなと思います。

以前どこかで「勉強のとき、椅子にベルトで体を縛りつける」と話したことがあるのですが、この間、実際に「私もやっています！」という医学部生がいました。しかも女の子。この間、私たちの YouTube でそれを話してもらいました。やるなら、ぜひ楽しんでやってほしいですね。それをやっている自分が楽しい、変なことをやればやるほどおもしろいと思えればいい。

やってんな自分。みたいな

やべえことやってんな。みたいな

何なら「ドラゴン細井がやってることやってみた（笑）」ってノリでもいいんです。やっぱり人間って弱い存在なので、自分のイメージが体調に影響します。具合が悪いと言っていたら本当に具合が悪くなってしまうとか。なぜかというと、**マイナス**

思考は白血球の動きを鈍らせるので、免疫力が落ちるんです。実際にあり得ることです。

私は自己啓発とかはあまり好きではなくて、数珠とかをつけたりしだすのはやめたほうがいいと思うのですが、そこはプラスの言葉やプラスのイメージをしっかり自分でチョイスして、勉強を楽しみに変えてほしいと思います。

「できない」は保険でしかない

同じ実力でも、自分で「できる」と思っている人と、「できない」と思っている人ではパフォーマンスに差が出ます。だったらどうする？　得するほうを選んだほうが絶対いい。そもそも、できないと思うことには何の価値もありません。時間の無駄です。

私は「自分はどうせやってもできない」と思っている人に、こう伝えています。

それ、できなかったときに自分が傷つかないための保険だろ？

絶対受かると思っていた試験に落ちたときのショックはハンパないですよね。でも最初から「できない」と思っていたら、失敗したとき「ああ、やっぱり」で済みます。「できない」は、そういう保険ですよね。たまに「落ちるかもしれないと思っていたほうがいい」と言う人がいますけど、頭からそう思っていたら受かるわけがないだろうと、落ちて当然だろうと思います。

まず、受かる自分がイメージできていないのは、目標設定でミスっているということです。先に触れた大中小のＰＤＣＡの目標は、受かっている自分ではないですか？　それが明確になっていなかったら、目標達成はまず無理です。

目標の「公開宣言」でモチベを上げる

私は、**目標はハッタリでもいいから、周りに言っちゃうべき**だと思っています。人間って自分にはうそをついちゃうけど、人にはうそをつきたくないと思うんですね。来年は絶対ここに受かるとか、この試験に受かるからとか、周りに宣言してしまうというのはモチベーションアップの要因になります。

私は現役生のときに「東大理Ⅲに絶対合格」ってずっと手に書いていました。電車に乗ると、つり革を持ったときに隣のおじさんが見てくるんですよね。で、普通に落ちました。

それぐらいやっても、結局、人間ですから下振れしちゃうんです。だから、目標は高く、むしろ狙っているところより1個上のランクぐらいでやるのがちょうどいい。仮に目標に届かなくてもセーフラインには乗れるはずです。

「好き」「楽しい」が無敵なワケ

皆さんは「6種類のモチベーションと生産性の相関関係」の話を聞いたことがありますか？　論文にもなっているのですが、6種類あるモチベーションの中で最も高いのは「好き」とか「楽しい」からくるモチベーションであるそうです。最悪なのが「ご褒美」や「罰」からくるモチベーション。これは子育てでもよく言われますよね。

要は、自分が意欲的にこれに取り組みたいとか、これをやっているときが自分の人生が一番輝いているとか思える瞬間が、最高にモチベーションが高いということ。つまり、能率的になっているということですね。

逆に、「これをやらないとぶん殴られる（罰）」や、「お金（ご褒美）」のモチベーションは低い。めっちゃお金はもらえるけど、超つまらない仕事に達成感はないですよね。お金はほどほどでも、自分がずっとやりたかった仕事のほうが達成感や充実感は大きいものです。勉強も楽しいと思えたらモチベも爆上がりなのですが……。

勉強自体を好きになる人はあまりいないんですよね。

だったら、どうやって勉強すればパフォーマンスが高くなるのかとか、どうやったら自分が楽しめるか——**勉強自体ではなく、勉強の方法を楽しむことを身につけましょう。**それだけでもう無敵です。

楽しむために「仮想ライバル」を作る

楽しむために、仮想ライバルを作るのも一つの手です。

身近に同じ勉強をしている人がいたら、黙って勝手にライバルにしちゃってもOK。そして勝手に勝負する。言うなればそこにオンライン対戦しているようなゲーム性が生まれます。

ただ点数を上げるだけでなく、勝ち負けを入れると楽しくなりませんか？　もちろん「勝負しようぜ」と宣言してリアルなライバルを作ってもいいと思います。**単純な勉強にゲーム性を入れることで、勉強がより楽しくなる**はずです。

脳の錯覚で「つらい」は変えられる

発した言葉がその後の行動に影響を与えることを、プライミング効果といいます。簡単な例を挙げると、「ピザって10回言って」の遊びです。「ピザ、ピザ、ピザ……ここは？」と言われると本当は「ひじ」なのに「ひざ」と言っちゃうやつ。「ピザ」と自分で発言したことによって、脳が認識を間違えて「ひざ」と発してしまう。この原理です。じゃあちょっとやってみましょう。

「つらい」を「楽しい」に言い換える。

繰り返しになりますが、「つらい」とか「きつい」という言葉を使ってしまうから本当にきつくなる。「つらい」を「楽しい」に言い換えてみましょうよ。「きつい」を「おもしろい」「充実している」「有意義だ」「最高だ」という言葉に全部言い換えたなら、絶対に楽しくなるはず。もうマイナス言葉は禁止です。いかにプラスに転じたおもしろい言葉を使って遊ぶかだけでも全然意識が変わると思う。ちなみに、私は全部「気持ちいい」に変えていました。

サウナもそうですが、つらいことから解放された瞬間が気持ちいいわけです。私は、だったら「つらい」をその先の「気持ちいい」で表現してもいいんじゃない

かと思い、悲しいことがあっても「気持ちいい」に言い換えていました。

プラスとマイナスは表裏一体。どんなことでも絶対にプラスに言えるはずなんです。例えば、模試の結果が悪かったら「これも俺に与えられた試練なんじゃね？」、入試で不合格だったら「今年、入学するやつはクソつまらないやつばっかかもしれねえじゃん？」……そういう謎の理由をつけて自分を納得させるんです。これを続けるともうプラスしか残りません。

プラス転換の有名どころでは「神様は、その人が乗り越えられる試練しか与えないんだよ」。キリスト教っぽい発想ですが、まさに究極のプラス転換。もはや一種の暗示です。

あなたはポジティブな言葉とネガティブな言葉、どちらを選びがちですか？　これは幼い頃からの経験に基づく習慣なので、この本を読んだところでいきなりは変わらないかもしれない。マイナス言葉を選びがちだなと思った人は、なるべく意図的にプラス言葉を選ぶところから始めましょう。

そのとき、見えるところに自分が言いたい言葉を置いておくのが結構効果的です。普段使っている勉強のノートとかスマホの待ち受けでもOK。校訓みたいに貼ってもいい。目につくところに自分が発したい言葉を置く。それが習慣化につながる。

習慣化した人では、私の友人で死角から後頭部にボールがぶつかったとき、咄嗟に「気持ちいい！」と叫んでいた人がいます。こんなふうに、そのうち反射で使えるようになりますよ。

思い込みは最大限に活用する

最初は思い込みでいいんじゃないかなと思います。実際のところ、私の塾の生徒でも思い込みが成功した人は合格していますし、成功しなかった人は不合格になっていると言っても過言ではありません。

自分をいい意味でだます。そうしてモチベーションを上げて、アウトプットされる結果までもコントロールしてしまう。もちろん思い込みだけで、勉強しなければ何の意味もないです。でもやれば、計画とモチベーションの掛け算でより爆発的に成績を伸ばす、結果を出すということが実現できます。

これで一つ目標を達成したら確固たる自信につながるはず。そして、その自信が次のモチベーションにもつながっていく。これって、すごくいい循環じゃないですか？

「根拠なき自信」をつける方法

思い込みをせよと言いましたが、では「根拠なき自信」はどのようにつけたらいいのでしょうか。例えば「1冊集中法」でやり切った1冊を自信の源にするのも良いでしょう。

人間は自分にかける言葉でごまかすというか、自分にうそをつくことができます。

プラセボ効果、一種の催眠術のようなものです。例えば、「この水を飲んだら天才になるよ」って有名企業家が言ったとして、「マジ？ ○○さんが言うの？ だったら、飲もう」みたいになりますよね。よく考えると、うさんくさいのですが。一方で、その辺の路上で知らない人に同じことを言われても、「その水、腐ってそう」と思ってしまうのではないでしょうか。

私の場合、受験生の頃に「前祝い」をしていました。まだ入試を迎えていないのに第一志望の大学名を書いて「合格おめでとう」と机に貼っていたことがあります。ダルマにいきなり両方、目を入れたこともあります。「どうせ受かるに決

まっているんだよな」と思い込んでやっていました。怪しさ満点ですが、これで気合いが入るんです。これも「プラセボ」の一種なのでしょう。

目標達成のイメージを強く持つ！

いわゆる「アファメーション」です。ポジティブな言葉による自己暗示とでも言いましょうか。ここでは自分に対する「問いかけ」や「断言」が大事になってきます。別に自己啓発しようと言っているのではありません。単に、自分にプラスな、ポジティブな言葉をかけよう、ということです。

毎朝、鏡で自分の顔を見たとき、必ず自分に対して「自分は受かる」と一言かける。これぐらいでも、ちょうど良いですね。自分に対して自信を持って接してあげることが大事なんです。

自分のことを好きになることによって、パフォーマンスは上がっていくものだと考えています。頑張っている自分をねぎらってあげる。そういうタイミングも必要だと思います。

自分から自分への言葉をプラスのもので彩ってあげましょう。「なんで俺はダメなんだ」ではなくて、**ダメだと思ったとしても「ダメだけど、俺、受かっちゃうんだよね」っていう謎のポジティブさを持ちましょう。**言霊の力はすさまじいです。自分の言葉が現実になりますから。

読者の皆さんには、ぜひ根拠なきポジティブさを身につけてほしいと思います。

「試験は団体戦」と考えるワケ

今、目指している目標は「誰のため」なのでしょうか?
10代後半の大学受験生でも、社会に出て仕事をしながら勉強をしている方々でも、試験は自分のためではあるのですが、実際のところ自分だけのために頑張ることは思いのほか難しいと思います。

まず10代後半だと、「将来お金持ちになりたい」とか「成功したい」とかいう気持ちだけで奮い立たせることは無理な印象があります。自分のことだとあまり本腰が入らない子がいるんですよね。社会人もそうかもしれない。そんなときは、人からの評価を気にするようになれるといいと考えています。

他人からの評価をプレッシャーに変える。

例えば、大学受験に落ちたら、親戚に「○○さん、また落ちたらしいよ」と言われるかもしれません。受験生にとっては結構なプレッシャーですよね。親が悲しむかもしれない。家計が大変になるかもしれない。そういう人は、自分の人生がということではなくて「人に迷惑がかかる」ということを認識してるんです。大学受験を例に出しましたが、社会人の資格試験でも同じことが言えますね。

この考えを持てない人は、無駄に浪人することが多いです。他人には迷惑がかかっていなくて、自分の問題だと思っちゃってるんですね。人が迷惑を被っていることを全然考えていない。親がお金を払ってくれているのにとか、勉強に時間を割けるよう家族が協力してくれているのにとか、そこに気づくことができていないのはマズい。

何度も試験に落ちている人が言うのは「私は頑張っているんですけど」や「毎年、判定は出ているんですけど」です。試験は「自分との戦い」と言われますが、この考え方だけでは厳しいところがあります。

結局、目線が他人に行くかどうか。

極端な例ですが、銃を頭に突きつけられて「受からなかったらこれを引くから」と言われたら、「あ、やります」となるでしょう。でも、実際には受験に落ちても死にはしません。

試験に落ちたら、ちょっといじられたり、ちょっとバカにされたりとか、家族内とか親戚内の地位が悪くなるだけで、別に死ぬわけではないですよね。でも、そこの責任感を「自分の重荷にできるかどうか」が勝負だと思います。しかし、このアプローチはやりすぎると、メンタルが弱い人には過大なプレッシャーになってしまうので、バランスには要注意です。

私たちの塾で、やる気やモチベーションが上がらない生徒に対して、「お前の人生、マジで考えているの？」と言っても、全然刺さらないことがあります。でも、その中には「今のお前の姿を見て、親は何て言いたいと思う？」とか「親御さんの気持ちになってみろよ」「自分の息子がこうだったらどう思う？」と、周りの人を絡めると、いきなり号泣する生徒もいるんです。

そう考えると受験は自分だけの戦いじゃないし、応援者がいるし、サポーターがいるし、先生がいるし……と、彼らも無意識にみんなでの戦いだと考えているのでしょう。だったら「試験は団体戦だ」をしっかり意識したほうがいいです。

応援してくれる人は側にいる。

団体戦であることをポジティブに捉えると、「合格したら誰かに自慢できる」ということもあるし、「誰かが喜んでくれる」「誰かがハッピーになってくれる」と考えることもできますよね。頑張れるモチベーションになるはずです。

私たちの塾で合格した生徒には「合格、おめでとう」と言うと「いやー、ほんと、先生方に恩を返せて良かったです」みたいなことを言う人がいます。そういうことをサラッと言う生徒は受かっていることが多い気がします。意識しているかどうかにかかわらず、きっと団体戦で戦っている気持ちがあるのでしょう。

繰り返しになりますが、「**自分だけの受験ではない**」ということですよね。親も協力をしているし、先生たちも全力でサポートしているし、ましてや受かるか受からないかによって、いつか生まれるであろう自分の子どもの教育にだって大きな影響を及ぼす可能性があります。自分の学歴が低かったり、必要な資格を持っていなければ、同じようなパートナーとしか出会えない……かもしれない。自分の学歴が高かったり、キャリアアップに使える資格を持っていれば、同じようなパートナーと出会う機会が増える……かもしれない。

学歴の高低や資格の有無は、その人の人間性には何の関係もありません。でも、長い人生において何かの「助け」になることもあるでしょう。だとしたら、結局は「因果」なんですよね。あなたたちの親御さんが困ったことは、あなたにさらに降りかかります。自分の子どもにはさらに……というところまで意識できていると、自分の勉強にどれだけ多くの人がかかわっているかを想像することができるでしょう。

これが
ポイント

ネガティブは捨てろ！
自分で選んだ勉強の道、
思い込みで突き進め！

第6章

【試験攻略法】

当日の明暗を分ける「ささいな工夫」

夜型を「朝型に変える」シンプルな方法

基本的には試験は早朝から始まります。会場まで移動距離があると、6時前には起きて朝食を食べて……という感じではないでしょうか。ただ、試験日だけその生活スタイルにしてしまうと、試験中はどうやっても頭が回らなくなります。

試験日の1～2カ月前から体を慣らしていく必要があります。私は受験生だったとき、実は夜型で朝が弱い人間でした。どうやって朝型に変えていったかと言うと、父親や母親との生活の中で、私が強制的に起きるような仕組みを作っていきました。

意識ではなく仕組みで解決する！

例えば、わざとリビングで寝ることによって、家族が起きてきたら起きざるを得ない状況を作ったことがあります。朝型宣言の仕組みですね。仕組みを作るには、家族の協力がとても大事です。**一人で起きる時間を律するのが難しいなら、家族を巻き込みましょう。**そして、何よりも**「今月から朝型に変えていく」と家族や周りに宣言して、自分を追い込んでいきましょう。**それが仕組み作りです。

とはいえ、最初は早寝が難しいと思います。基本的には眠い時間ではないですから。よくあるのは、試験直前になると夜もずっと勉強しているケース。すると、夜に勉強する癖がつき、夜中の２～３時まで勉強して、そこから６時間寝て、８～９時に起きる……そんな生活に陥りがちです。

私の場合、早寝が難しいとき、わざとジョギングしたことがあります。体を疲れさせるわけですね。単にジョギングするのが嫌であれば、リスニングしながらジョギングするのも手です。

今はオーディオブックでもポッドキャストでも、音声教材になるものは何でもあるじゃないですか。そういうものを聴きながら30分ぐらい走ってみてはどうでしょうか？　さすがに体が疲れます。その後でお風呂に入って寝ると、生活リズムがうまく作られていくんです。体力をわざと削ってから、しっかり寝て、そこでしっかり体力を回復して、朝は７時前に起きるという癖をつけてほしいです。

なぜ朝型にするとよいのか

起床から3時間の間は、脳の集中力が高まる「ゴールデンタイム」と言われています。しかし、これは全員には当てはまりません。正確に言うと、ゴールデンタイムの癖がついている人だけに当てはまるのです。

でも、何だかんだ言って、一般的に朝の時間帯は計算をするような「頭を動かす勉強に向いている」と言われています。つまり、朝にやるなら前日の復習や、計算問題。一発目に数学をやると目が覚めるのでいいですね。

関連した用語に「サーカディアンリズム」というものがあります。ザックリ言うと体内時計ですね。生物の体は、日光によってコントロールされており、日光を浴びたときにホルモンが出て活性化します。**朝起きた瞬間に眠くても、ちゃんと日の光を浴びるようにしましょう。**暗い部屋でずっと寝たり勉強したりしていると、時間感覚が崩れてくるはずです。実際の日の昇りと自分の活動を合わせていきたいものですね。

サーカディアンリズムに乗って、ゴールデンタイムを手に入れよう。

朝の活動、いわゆる朝活は「自己肯定感アップにつながる」のような、自己啓発の文脈でもオススメする人が多いです。その考えが合う人は朝型メインで過ごしてみてはどうでしょうか。というか、本来、受験期全部を朝型で過ごせるなら、そっちのほうがいいに決まっているじゃないですか。

しかし前述の通り、朝型は万人に当てはまるわけではありません。朝が苦手な人は絶対にいます。でも「自分は朝が苦

手」と落胆する必要はありません。**無理せず、試験の2〜3カ月前から少しずつ整えて、自分に合わせていく**ようにしていきましょう。急にリズムを変えると、逆にパフォーマンスが落ちることがあるので、無理せず時間をかけて朝型を目指していきましょうね。

夜は「暗記のゴールデンタイム」

ここまで「夜は悪」のようにお伝えしてきましたが、夜に勉強するメリットもあります。夜は暗記のゴールデンタイムなんです。つまり……

夜暗記、朝復習!

暗記の作業自体は「寝る前のほうがいい」と言われています。寝る前に単純暗記をやることによって、寝ている間に脳が勝手に情報を処理して整理してくれるんです。脳の自動的な動きを利用しない手はありませんね。

翌朝には、前日の夜に暗記した内容をパラッと見て復習しましょう。すると忘却曲線的にも記憶の底上げがされるので効果的なんです。

アウェー環境で勉強のマンネリ化を防ぐ

受験であれ、資格試験であれ、ある程度長い期間の勉強が必要になってきます。長期の勉強に避けて通れないもの……そう、「マンネリ化」です。

いつもと同じ環境でずっと勉強していると、確実に緊張感がなくなります。要は、「自分に対して活が入らない」「スイッチが入らない」ということですね。そんなときは自習室を借りるとか、図書館でやってみるなど環境を変えてみましょう。カフェもいいですね。また、環境を変えることで、いつもと違う環境でもいつも通りのパフォーマンスが出せるかのチェックもできます。

アウェーな環境で最高のパフォーマンスが出せるか。

このセルフチェックはぜひやっておいてほしい。周りの音声も含めて、外部環境は当日にどうこうできる問題ではありません。そういう観点で言うと、本番の1〜2カ月前から、模試をたくさん受けるのはすごくいいです。周りでガサガサと人が問題を解いている中で、自分が周囲の影響を受けずに集中できるか試すのです。

正直、一人で勉強していて集中できるのは当たり前です。前述のように、カフェや図書館など、周りに人がいたり、人が動いていたりするところに身を置きましょう。

わざとそういう負荷をかけて「自分の世界に入れるか」という練習をしたほうが効果的です。密室で勉強して集中することを否定するわけではありません。しかし、実際に戦う会場は密室ではないし、一人じゃないことのほうが多いので、そこでパフォーマンスが出せるということがわかれば「本番さながら」ということになりますよね。

本番当日を見据えたリズム作りをする

試験の当日の時間割は事前にわかることがほとんどです。何時開始で、何時に終わるのか、休憩はどこで取れるのか、昼食はどのタイミングなのか、など事細かにイメージを作っておくことが重要です。

共通テストは、60〜80分の試験時間の後に休み時間が50分程あります。時間としては結構長いですよね。昼休みも1時間20分あります。長丁場です。そういうところでのイメージングが大事になってきます。

例えば「このタイミングで昼食を食べたらパフォーマンスが落ちるな」という感じです。当日に食べるものも結構大事なんです。炭水化物をいきなり摂取してしまうと、ガツンと血糖値が上がって、インスリンが出ます。すると、すごく眠くなってしまう。低ＧＩ食品のような徐々に血糖値が上がるものがオススメです。

栄養や血糖値の上げ下げのギャップを少なくするなど、そういった食事の知識もある程度勉強しておくことで、当日のパフォーマンスを最高潮に持っていくことができます。

受験生も勉学におけるアスリート。

例えば、**野菜を食べてから炭水化物を入れるような、アスリートがめちゃめちゃ気にすることを知っておくといい。**これを学習者にも実践してほしいものです。

眠気のコントロールも事前に試す

皆さんは眠気を取るためにエナジードリンクやコーヒーを飲んで、トイレに行きたくなった経験はありませんか？　そもそも緊張感のある試験では、どんなにトイレに行っても尿意を感じがちです。カフェインの摂り方にも気をつけないと、試験中にトイレに行くはめになります。

一つの方法としてカフェインタブレットがあります。コーヒー１杯飲んでも、カフェインは40グラムしか摂れませんが、タブレットで飲んだら１００グラム単位で摂れるので、眠気対策に利用するのも一つの手ですね。

しかし、試験の日にいきなりカフェインタブレットを飲むのは悪手です。体質によってはお腹が緩くなったり、気持ち悪くなったりする人が一定数いるからです。生活リズム同様、２〜３カ月前からカフェインタブレットが合うかを調べておく必要があります。油断は禁物。本番でお腹が痛くなること、本当にありますから。アメリカでは過剰摂取で16歳の男子が死亡したケースもあるので、本当に注意。

アスリートも試合前にカフェインタブレットを使うと聞いています。それも普段から使っているものを使うとのこと。それは勉強も同じです。普段の勉強や模試でタブレットを使ってみるなど、ルーティーン化しておくほうがいいですね。

本番だけ特別なことをしない。

これは、鉄則です。

トイレ時間をマネジメントする

基本的には、試験中はトイレに行けません。普段から、勉強すると決めたら途中でトイレに行かないようにしましょう。

勉強する時間は試験だと思って臨むこと。

勉強する時間と試験の時間を切り分けないでほしいんです。結局のところ本番で出るのは、普段積み重ねてきたいつものパフォーマンスじゃないですか。

第4章で紹介したように、私の塾では「ユニット時間」を決めて勉強することを推奨しています。最初は「50分」、高校3年生になったら「70~80分」ぐらいまで1ユニットの時間を伸ばします。それで、その間は試験と同様に過ごす。席も立たないし、スマホも見ないし、当たり前だけれども「勉強以外のことは絶対しないぞ」

という環境を作って、トイレにも行けないことを前提にします。

ただ、トイレは生理現象ですよね。なので、まず**自分が「どういうタイミングでトイレに行きたくなりやすいのか」を把握しておきましょう。**コーヒーを飲んだら必ずトイレに行きたくなる人なら、そこから逆算して「飲まないでおく」とか「カフェインフリーに切り替える」など、しっかりとトイレ時間をマネジメントしてほしいです。

どれだけ準備しても、試験直前にトイレに行きたくなることはあります。そこでメンタルが崩れないように、模試では本気のシチュエーションを想定しておきましょう。

しかし、試験中に漏らしそうになったら、絶対に行ってくださいね。尿意がめちゃめちゃ気になって、全然問題が解けないのは本末転倒です。5分ロスしてでもトイレに行ったほうがいい場合もあります。

使い慣れた文房具を使うワケ

試験前日に家族が願掛けの鉛筆を買ってくるのは「受験あるある」です。「湯島天神」の合格祈願の鉛筆などですね。そんなときは気持ちだけ受け取って、「いやいや、これは普段使ってないから」と辞退してくださいね。試験本番では、普段から試験で使っている鉛筆とかシャーペンを使いましょう。

普段使っているものでやる。
普段を試験に合わせる。

本番だけ道具を変える人は一定数います。普段はボールペンで勉強しているのに、本番だけシャーペンや鉛筆を使うなどです。そういう人は、本番で鉛筆がいきなりバキッと折れて動揺したり、「シャー芯、どうやって出すんだっけ?」と焦ったりする。ささいなことですが、それが集中力を絶ってしまうことがある。

慣れないことは、ストレスのもと。

ほかにも、消しゴムでこんな例があります。たぶん、普段はさほど使わない人だったんでしょう。消しゴムの力加減がわからず、全力でこすって用紙を破ってしまっていました。

また細かい話ですが、消しゴムって机から落ちますからね。本番に限って落ちることがあるんです。置く場所にも注意しましょう。

さらに細かい話になりますが、消しゴムの最初の角張っている状態って使いづらくないですか？　パキッとブロックで取れちゃうことがありますから。実

は一通り使って丸くしておいたほうがいいんです。また最近は、試験会場でカンニング対策の観点から消しゴムのカバーを外すよう言われることもあるそうです。普段から、消しゴムのカバーを外して使っておくといいでしょう。

使い慣れたものをそのまま本番に持って行けるようにしましょう。ささいなことに見えますが、これも本番を見据えた勉強のうちです。

思い出せないことを怖がらない

本番直前になったら、「自分は1日何をやったかな」と思い出す時間を作ると効果的です。これは「反すう」という作業なのですが、なかなかつらい。と言うのも、良いことも悪いことも思い出すことになるからです。

例えば、人の名前が思い出せないときに、ＬＩＮＥやアドレス帳を見れば思い出せますよね。そこで頑張って「誰だっけ？」と思い出そうとすることによって、脳は鍛えられていきます。

この「反すう」は、脳のフォルダ整理をしていることになります。記憶の奥底に眠っていて絶対に覚えているはずなのに、それがいろんな情報に埋もれて引き出せていないものを、歯を食いしばって思い出す。なかなかつらいことです。

試験中こそそのつらさを味わうんです。「うわー、やったのに……」と。その「うわー、やったのに」というシチュエーションを普段の勉強から毎日起こしていく、これも普段を試験に合わせる作業だと言えます。

思い出すというつらい作業に向き合う。

筋トレで例に考えてみましょう。10回できるベンチプレスの11〜12回目って大変じゃないですか。これに対して、米国俳優のアーノルド・シュワルツェネッガーは「10回のうち12回目が大事」ということを言っていたとか。意味がわからないかもしれません。つまるところ……

自分の限界を超える癖をつける。

勉強も同じです。勉強の過程は大事です。でも、**思い出せないときに頑張って思い出す作業、このつらさを乗り越えることが一番大事**なんです。思い出せないつらさは本番で最も起きる事象です。かつ、そこで思い出せたことってめちゃめちゃ色濃く記憶に残りますよね。

勉強は、どうしてもインプット、インプット、インプットというふうにインプットに偏ってしまいます。でも、肝はアウトプットなんですよね。試験直前期というのは、アウトプットの歯を食いしばるつらさを体感してほしいと思います。

「自問自答」で思い出す習慣づけを

学んだことはテキストを見れば、もちろんわかるでしょう。でも、これでは負荷がかからず、定着につながりにくいです。ですから、テキストを見ていない状況、例えばお風呂に入っているときや寝る前、歯を磨いているとき、食事をしているときなどに、「そういえばあれって何だっけ」「今日やったあれって何だっけ」と思い出す習慣をつけておきましょう。そうすると、いつでも勉強できる状態になります。

目の前にテキストがなくても、例えば、英語で「後ろに動名詞を取る動詞は何だっけ」という自問自答問題を作ることができますよね。

自分の頭の中に問題と解答が両方入っている状態で、テキストの中からランダムに、もしくは自分の中で「この問題はよく間違えるな」というグラデーションをそのまま自分自身に問いかけ、解答する。これを繰り返すことで、場所や時間を問わずに勉強することができます。

いつでもどこでも「あれは何だっけ?」と自問自答しよう!

体を動かして、脳を活性化させる

試験勉強の後半にもなると、疲れやストレスが溜まってきます。特に、入試などは寒い時期に実施されることが多いので、直前は家に引きこもりがちになるでしょう。

イギリスなどでうつ病が多いのは「日が短いから」とか「曇天が多いから」だと言われています。誰にでも気持ちが上がらなくなってくる瞬間は絶対あります。「そんな時期は自分だけにはない」と変に自信を持たないでください。

もし「気持ちが下がってきたな」とか「モチベーションが上がらないな」とか、気が滅入ってきたら、意図的に体を動かしましょう。

私の場合、高校生のときに家にサンドバッグを買ってもらうようにお願いしました。自分の部屋にサンドバッグを置いて、何度もぶん殴っていたのは良い思い出です。ただ、サンドバッグをぶん殴ると手も痛いですし、跳ね返って顔に当たることもあります。でも刺激がないと活が入らないことってありますよね。

自分に対してイラついたときにフラストレーションをぶつけるものがあったほうがいいですね。サンドバッグでもぬいぐるみでもいいです。ただ物を投げると危険なので、安全に鬱憤を晴らせるものが望ましいでしょう。

イライラは溜めずに何かにぶつけよう！

これは別に「殴れ」と言っているわけではありません。「走る」でもいい。走ると脳が活性化されて情景に伴って整理されます。脳に新たな刺激が入ると、記憶の効率が良くなるということが明らかになっています。

ウオーキングでもランニングでもいいです。5分10分でもいいです。体を動かしてドーパミンやセロトニン、ノルアドレナリンなど、メンタルに良い活性物質を出していきましょう。

適度に運動をすることをオススメします。「座っている状態が、一番学習効率が悪い」と言われています。「立っていたほうがいい」とか「足を動かしたほうがいい」とか言われているくらいです。座りっぱなしが一番ダメ。

でも、現実的に足を動かしながらひたすら勉強するのはほぼ無理ですよね。それなら**勉強1時間につき1回は立って歩いてみる**ことから始めるのはどうでしょうか？　飽きたら参考書を持ってウロウロしてもいいでしょう。家に足でこぐ運動器具があれば、それをこぎながらでもいい。集中できない状態であれば、体を動かしながら映像授業を見たりしてもいいですね。

勉強の中に体の動きを入れると、血流が良くなりますし、頭にも血がめぐって集中力が増してきます。

また、運動は就寝時間のコントロールにも役立ちます。夕方ぐらいに適度に運動しておくと、夜眠くなってきます。そういう点でも、体を動かす時間を作るほうが回り回って勉強の効率が良くなるのです。

「信頼できる1冊」を絞っておく

当日持参する参考書は1冊に絞りましょう。 もちろん、各科目で1冊です。大量に持っていきたくなるのですが、すべてに目を通す時間や精神的な余裕はないと思います。

1冊を極めた人なら、問題集の中にいろんな書き込みがあるはず。ランクを分けて重要度によってラインマーカーの色を変えて、数学の問題集だったらABCDをつけて、パッと見て「これが自分の間違いやすい問題だ」という印がついているはずです。

本書通りに続けていれば、スタートの時期によりますが、1～2年間で自分の弱点が蓄積されているわけですね。そもそも「何のために蓄積してきたか」。試験直前に見るためです。

その1冊は一番苦手なところを瞬時に把握できる、自分色の参考書や問題集になっているはず。そんな信頼できる1冊を絞って、試験直前に「これだけは見ておこう」を確認しましょう。

覚えたいことは、家中に貼ろう

試験直前になったら、なりふりかまっていられません。自分が覚えたいことに対して出会う回数、つまりエンカウント回数を増やそう。具体的に言うと……

覚えたいことは家中に書きまくれ！

私が受験生の頃、本当に覚えられないことは「覚えられないもののノート」を作ってまとめていました。しかし、ノートだけでは足りないと気づいたんです。

令和の今でもノート作りをする人は結構いますよね。しかも、同じ内容を新しいノートに再び書く。もちろん書くのもいいのですが、ノートを1回作ったら、コピーしてあちこちに貼ることをオススメします。

そして、覚えたいことを家中に貼りまくれ！

トイレにも貼る！
風呂にも貼る！
リビングにも貼る！

家にいれば常に出くわす状況を作るんです。そうすることで、どこに行っても勉強する場面を作り出すことができます。シンプルですが、見る回数を増やせば絶対に覚えるんですよ。

ぶっちゃけ、科目がぐちゃぐちゃでもＯＫ。毎日毎日出会う場所に自分が覚えたいことを置くことが重要なのです。

家に貼る以外では、どんなときでも見られるように折り畳んでポケットに入れておくのも効果的です。ノートのコピーをＰＤＦ化してスマホやタブレットに入れておいてもいい。とにかく覚えたいものとのエンカウント回数を増やせ！

私は、貼ることすら面倒くさくなって、自分の体に書いていたことがあります。腕への書き込みがひじぐらいまで到達したことも。２～３回お風呂に入ると消えるので、それまでに必死に覚えなきゃという変な焦りの副効用が生まれていました。

本番前夜は復習のみにする

試験の本番前日、この日の夜は自信をつけるだけの時間です。前日夜に新しい問題に手をつけて、自分の心を折っても意味がありません。前日夜は寝られない可能性もありますし、緊張感もありますので、今までやったものだけを復習するようにしましょう。

結果がなかなか出ない人に限って新しい問題を解いているんですね。急に過去問を解いてわからない問題に出会って、自分で自分の心を折っている。勉強のために、一度、自分の心を折ることは否定しません。でもそれは本番の1～2カ月前までに終えておくべきです。

直前は、今までの頑張りを振り返る期間。

直前の1～2週間は、今までやってきた勉強を信じること。「自分が知っている問題しか出ない」と思って勉強をしていくことで、自信がみなぎってきます。自分はすべてやってきたから出る範囲は網羅していると思うくらいがちょうどいいです。

もし自分が知らない問題が出たとしたら、「みんなも知らないから解けないだろう」くらいの気持ちでいいんです。だから、「自分が知っている問題を全解答すれば合格する」という気持ちでやってほしいですよね。

前日夜に、あえて自分に自信をなくす必要はありません。今までやってきたグラデーションをかけた中の最後の100問中の10問を各科目からピックアップして、そこだけを反すうすればOKです。

本番で「周りに振り回されない」コツ

実際、試験中にわからない問題が出るのは当たり前のことです。東大に受かる受験生だって550点中370点しか取れていないんですね。最低点が350点あたりでしょう。もう200点もミスっているわけじゃないですか。

東大理Ⅲに受かる受験生であっても、正直6~7割しか取れていない。トップ合格者ですら550点中478点ぐらい。70点は間違えています。素晴らしい点数であることには間違いありませんが、それでも70点は間違えるわけじゃないですか。

もちろん、難易度が高いから、問題のレベルが高いからと考えることもできますが、それでも合格している人が全問正解ではないことは事実です。

本番で満点を取れるやつなんていない。

入試のような相対評価の試験は、満点を取れという話ではありません。だから、**わからない問題があっても全然ＯＫ**なわけですよ。その視点を絶対に忘れないでください。むしろ、わからない問題があって当然です。

相対評価の試験は、自分の出来が周りと比べてどうかということ。正答率10％の問題なんか別に間違えてもいいんです。むしろ1秒もかけなくていい。解いても解けない問題はやっても無駄。時間だけロスしてほかの問題が解けなくなってしまいます。

ここで非常に重要なのは問題に対する見極めです。自分に自信がないと「これ、みんな解けるんじゃね？」と不安になるんですよね。正答率10％ぐらいの難問になのに「やばい、知らないのは俺だけかもしれない」みたいに。

確かに、周りのペンが動いている音にビビるでしょう。「止まっているの、自分だけ?」みたいに思ってしまうかもしれません。そこでメンタルを崩してペース配分を間違えると、解けない問題に時間を使ってしまい、解ける問題に全くフォーカスできない、という地獄が訪れることになります。

問題に対する自信や見極めはどこから来るのでしょうか。それは「物量を前提とした自信」です。

「所定のやるべき問題集は全覚えした」
「全覚えではないとしても9割5分は覚えている」

このような状態に達してこそ、自分は周りとそんなに差はないと自信を持つことができるんです。合格者レベルと差がないはずと自信を持って立ち向かえます。

スマホを「面倒な道具」にする

私の現役時代とは違って、現代社会ではスマホが必須。いい意味でも悪い意味でも大活躍しています。大人でも平然とスマホに2～3時間費やしてしまう。個人的には、ある程度成功した人以外は、スマホは持たないほうがいいんじゃないかと思います。スマホの中にＬＩＮＥやＸ（旧Twitter）、Instagram、TikTok、YouTubeなど魅力的なコンテンツが山ほどありますよね。でもよく考えてみてください。これらさえなければ、ただの電話機なんですよ。あるいは、ただの音楽プレーヤーなんですよ。

スマホが悪いと言っているわけではありません。ただ、あなたの勉強の阻害要因になることは多々あるはずです。

多感な大学受験生ぐらいの年齢であれば、LINEでの友達とのやりとりはそりゃもう大事でしょう。しかし、成績は1ミリも上がりません。私たちの塾ではLINEのサポートチームを作っているため、そういう用途であれば効果的な使い方かとは思います。とはいえ、勉強以外のLINEに気が取られてしまうと、勉強効率を落とす要因になり得ます。とはいえ、冒頭でお伝えしたように、フツーはスマホしたいもの。

となると、「スマホを使わなきゃいけない」という状況を減らしたいですよね。ここで一つポイントをお伝えしたい。

手間が多いと人間はやる気にならない！

例えば、お役所関連の書類を出すときも、どこどこ課に持っていって、それを次の課に持っていってと、面倒くさい作業があるじゃないですか。それを考えるだけで、役所に行くのが面倒くさいってなりますよね。

アプリもスマホも「使うまでの工程を複雑にする」と使いにくくなります。例えば、親御さんにスマホを預けて、スマホを出すときは書面に一筆書かなければいけないという謎のルールを作るなんていかがでしょうか？　かつ、何分以内に返さなきゃいけないという諸々の制約や手間、工程をつけると、そのうち「使わなくてもいいや、面倒くさいし」と徐々になっていくように思います。

なぜ「勉強への手間を削る」のか

逆に、やりたいことの手間は削るべきです。スムーズにやりたいことに手をつけられるようにしておくことが大切です。

トロント大学の研究に、むき出しのクッキーと個包装されているクッキーでは食べ終わったタイミングが異なるという実験がありました。

その研究ではむき出しだと「6日」で食べ終わったのですが、個包装されているものだと食べ終わるのに「24日」かかったと報告されています。確かに、すでに開いたものがあったら食べようと思いますけど、個包装だと開けるの面倒だなとか誰かほかの人が食べるかなとか思いますよね。

勉強の例に応用すると、勉強しない子のあるあるとして、机がめっちゃ散らかっていて、まず片づけないと勉強できないということがあります。つまり、片づけの工程がなくなれば、すぐに勉強に入れるわけですよね。

勉強にすぐに手をつけられる環境を保つ。

ちょっと難しい工夫に聞こえるかもしれませんが、これができると自分をうまくコントロールすることができます。

机の上をキレイにしておくことに加えて、科目ごとにボックスを作るのも良いでしょう。それを取れば必要な参考書が全部入っているという状況を作り出すことができます。机の上には何も置いていなくて、ボックスから持ってきたらそこにすべてがそろっているという状態を作る。

逆に「学校のカバンの中に理科のあれがあって、あっちに資料集があって、あそこには問題集があって、それを集めないと勉強ができない」となると、その時点でウザくなりますよね。工程がちょっと多くて障害物だらけです。

もう一つ例を出すと、夜に勉強していたら、机の上は参考書や問題集だらけになりますよね。でも、この状態を翌日まで持ち越すのか、一回整理してから寝るのかで、翌朝のスタートのタイミングが全然違います。

いろいろと勉強していると資料も増えてくるし、参考書や問題集が増えてくるのは仕方ないことです。だからこそ、**整理や置き場を工夫して勉強に入るためのストレスを減らしましょう**。変なストレスを自分で作っていないかチェックしてみてくださいね。一番軽い装備で、つまりシンプルな教材で勉強をスタートできる状態を作ってほしいものです。

勉強への動線を作っておく

東大理Ⅲに子ども４人を入れた佐藤ママが「家全体の動線上に勉強があるような仕様にする」とおっしゃっていました。例えば、ご飯を食べたら勉強するという流れがあるとします。ご飯を食べたら片づけて勉強机に行くという、全員が同じ動きをする動線を引くんです。ご飯を食べているときに毎回違うテレビがついていたり、ソファがあったり、スマホがあったりすると、それらが障害物になっていることになりますよね。勉強机に行くまでにクリアしなければいけない敵、倒さないといけない敵が多すぎることになります。

例えば、食事中にテレビドラマをつけているとします。食べ終わっても、ドラマは終わっていない。その時点で自分からロスをしに行っていることになりますよね。わざわざ障害物を自分で作るなんて論外です。

私は、決して「テレビを見るのが悪い」と言っているのではありません。動線上に障害物として存在するものを漠然と見てしまうのが良くないのです。

何事もプラスに捉えられたらいいのですが、物事にはマイナス要素が強く出る場面があります。テレビのマイナス要素とか、休憩のマイナス要素とか、ソファのマイナス要素……突きつめると**居心地の良さにもマイナス要素があるわけですよね。**リビングは居心地が悪いほうが勉強机に行きやすいのかもしれませんね。

家族サポーターの心得

あなたが勉強を頑張っているなら、ご家族にも応援してほしいところですが、家族の行動が謎に障害になってくることがあります。例えば……

「今日は何をやったの？」「勉強はどう？」

←（邪魔しないでほしい）

「ケーキ、食べる？」「糖分は大事よね」

←（自分が食べたいだけだろ……）

食べたら血糖値が上がって眠くなるだけですよ？

家族が勉強に対する理解をしておかないと、気づかいが変なお節介になることがあります。勉強中にリラックスさせようと「アロマをたこうか?」なんて話も聞きますが、それこそ眠くなりそうですよね。それなら「眠くならないように、椅子に剣山を敷いておいたよ」ぐらいのほうがまだいい。

良くしたつもりが、障害になっていることが多々あるんです。

また受験生に関してですが、塾で感じるのは、親御さんの態度が結構影響しているということです。

生徒に勉強でできていないことがあるとします。でも**親御さんが「頑張りを褒める」「できている部分を伸ばしてあげる」と、モチベーティングを上手にしていると、生徒もモチベーションが上がりやすい。**

一方で、**親が真っ向から子どもを否定するような家庭で育った生徒は、小さなことでふさぎ込んでしまうことが多いです。**そんなときは私たちも親御さんに対して、子どもへのアプローチの仕方をお話しします。

親御さんは一番身近にいる人です。最大のサポーターであって応援者であってほしいなと思います。

仲間との距離感を保つ方法

障害になり得るのは家族だけではありません。仲間もそうです。

学生に多いのですが、本人は黙々と勉強したいのに、話し掛けてきたりとか、質問をしてきたりなどです。質問だったらまだいいのですが、あまりにも低レベルな質問だとそこから雑談に発展することは避けられません。

実際に私も浪人のときにめちゃくちゃ経験しているんです。だから浪人中は、友達はいないほうがいいと考えていました。私が知っている人の中にも、浪人中は1人も友達を作らないと頑張っていた人がいます。周りには「コミュ障じゃね?」とか言われていましたが、そっちのほうが正解だと思います。その1年は勉強する1

年じゃないですか。もちろん精神面のバランスも大事なのですが、せっかくできた友達を不合格の要因にはしたくないですよね。

友達がチームとなって「一緒に頑張る」のであれば否定はしません。でもどうせ一緒になって頑張るんだったら、友達じゃなくて勝手に「ライバル視」したほうがいい。**「あいつには負けねえ」と切磋琢磨や競り合いをすることは、勉強のモチベーションにつながります。**

そういう点では、友達の質は重要です。私が学生時代に通っていた駿台市ヶ谷校には、多浪生（4浪、5浪）が溜まっていました。長老みたいなキャラです。たまに「わざと落ちているんじゃねえか」と思うような人もいて、先生の講義を最前列でずっと受けている人もいました。

そういう長老に見初められてしまうと、確実に自分も長老コースになります。誰とつき合うかはすごく重要です。**目安としては自分より優秀な人とつき合うといい。**相手には失礼な話なんですけど、友達になるならなるべく自分よりもパワーがあるとか、モチベーションが高い人にしましょう。闇に引きずり込むような人間とは絶対つき合わないほうがいい。傷のなめ合いをして終わるだけです。

これがポイント

本番に向けて、
体と気持ちを作り込め！
余計な情報は遮断せよ。

おわりに――3分では読めない激励の言葉

ここまで読んで「読み終わった！」と達成感があるかもしれません。ですが、言い方がキツいことを承知で言います。「で、あなたは？」と。

大切なのは「そこからあなたの行動はどう変わったの？」なんです。

そもそも正しい勉強法を知っていれば、私の本は読まなくてもいいんです。ただ読んだ場合、読んで内容を理解していることを大前提としても、大多数の人が「読んで終わり」になって行動が変わらないのではないかと思います。10人いたら8人ぐらいはそうなんじゃないでしょうか。8対2の法則のように、読んで自分を変えられる人は2割です。変えられない8割の人をなくすことは絶対無理。世の中は、6割の普通の人と、2割のダメな人と、2割のできる人で構成されています。その本質は変わらないでしょう。

「あなたはどの割合のところに入るか？」

自分が今までどの割合のところにいたのか振り返ってみましょう。

普通の6割なのか。
ダメダメな2割なのか。
できる2割なのか。

常にこの「できる2割」の選択ができれば、20％の掛け算、つまり5分の1の何乗にもなってオンリーワンの人間になれるわけです。

中学受験で「できる2割」のほうに入る、大学受験でも「できる2割」のほうに入る、仕事でも「できる2割」のほうに入る。これだけで5分の1が3乗になりますから、それだけでも100人に1人の逸材になれますよね。必ずナンバーワンになろうというわけではなくて、皆さんにはできるグループの2割のほうに入ってほしいと思います。

カギは日々の意識なんです。その意識をどれだけ高められるか。自分がボーッとしている時間とか、無駄にしている時間。ゲームや趣味が無駄な時間ということではありません。その時間が自分の人生の中でプラスになっているかということを客観的に見られるかが大切なんです。その客観性が自分の勝ち負けを決める。

私は今、受験生ではありません。大学も卒業して医者にもなっていますし、人生の試験はすべてクリアしているはずなのですが、毎日を受験生のつもりで過ごしています。休むという選択肢を自分に与えるか、与えないかみたいなところです。それが私と他人との違いかなと思っています。

「休もうって、なぜ思えるの？」

それが自問自答できるかどうかが一番大事。なめたプレーをしていたらなめた結果しか返ってこないことはもう歴史が証明していますよね。激励になるかわからないのですが、「なめ腐った根性をたたき直せ」という思いが根本的にあります。あ、別にたたき直したくない人はそれでもいいんですよ。ただ8対2の8のままなだけです。そこら辺でのんびりワカメみたいに生きていってください。「できる2割」のほうに行きたいのなら、常にライバルを、仮想ライバルでもいいから見つけて、受験でも、仕事でも、ビジネスでも常により上の人を意識して邁進していくのみです。下の人は見ませんよ?

くじけそうなとき「自分よりラクをしている人がいるじゃん」と思うかもしれません。そんなの当たり前です。8対2の中の、2割の中にまた8対2があるわけです。その2割の中にもまた8対2があるわけですね。いかに2割の極限まで入っていけるかを突きつめてほしいと思います。そうすれば受験も絶対勝てるはずです。資格試験でも絶対に合格できるはずです。

本書では常に要約やまとめるという癖をつけてくださいと書きましたが、この激励のコメントだけでも3分でまとめてみてください。「で、この人は結局、何が言いたいの?」というふうに考えて、突きつめて、書いて、見える化してください。読んで「ハイ、終わった!」となったら、それで終了ですよ。

あなたが紡いだ一番大事な言葉を見える化する、これが大事。

自分で紡いだ言葉を必ず目につくところに貼っておくとか、今だったら動画とかも切り抜いていつでも見ることができるじゃないですか。今きっと手元にあるこの便利な機械を堕落の玩具としてしまうのか、モチベーションを上げる道具として使うのかはあなた次第です。堕落の玩具に時間を左右されているようでは、8対2で言えば確実に8側の人間です。これをいかにうまく使うかで2割の人になれる。スマホにはうまく使えるだけの十分なポテンシャルがあります。使いこなせるとすごい武器になります。でも多くの人がスマホで何をしているかというとYouTubeを見ているとか、SNSを開いているとか、そんなものですよね。これが「8側」なんですよ。

結局、自分をいかに律していけるか。その細かな積み重ねが人生です。問題集を解くときもしっかりとラインマーカーを引いたり、何ならピックアップしてどこかに書いたりすることが大事ですよね。完全に解ける問題はわざわざ解く必要はないですよね。マーカーやピックアップは、自分が必要としている情報や問題をどれだけうまく浮かび上がらせるかという作業。情報の抜粋です。本書を読み終わった皆さんは、この本にマーカーを引きましたか？　書き込みをしましたか？　もしどこにも線が引かれていなかったら、私の話を何も聞いていない証拠でしょう。絶対そうだと思いますよ。

国語の現代文の問題を解くときにも線を引くのに、本でやらないのはなぜですか？　後で売ることを考えていますか？　特に本書では手を動かしたインプットの話が重要なテーマです。その時点でペンを持っていなくて「おわりに」にたどり着いていたら……一度、自分の考えを振り返ってみてください。

そこなんです。

この「おわりに」にたどり着く前にこの本がしっかり汚れていたり、せめて折ってあったりとか、皆さん一人ひとりにとって「ここは大事だな」と思ったところが「収集」されていることを祈っています。

すごく厳しいことを言っているのはわかっています。でも厳しいことを言うということは、私自身が自分にもそれを課しているということ。自分に対してしっかりプレッシャーをかけてやっていかないと、皆さんに対して言うことなんかできません。「効率」を追い求めたうえで、いかに自分を律するか、いかに厳しくするか。本書を読み終えたあと、「で、自分はどうする?」と問いかけ、自分にベストな勉強法を模索し続けてください。筆者として、それ以上嬉しいことはありません。

■参考文献

リチャード・セイラー, キャス・サンスティーン, 遠藤真美訳『実践行動経済学：健康、富、幸福への聡明な選択』日経 BP, 2009年

メンタリスト DaiGo『図解 自分を操る超集中力』かんき出版, 2016年

ハワード・S・ダンフォード『行動経済学の基本がわかる本：ポケット図解』秀和システム, 2013年

長谷川嘉哉『ノートを書くだけで脳がみるみる蘇る』宝島社, 2019年

永松茂久『言葉は現実化する：人生は、たった“ひと言”から動きはじめる』きずな出版, 2017年

磯本知江ほか「糖や甘味が精神的ストレス応答に及ぼす影響」農畜産業振興機構調査情報部, 2014年（2023年7月28日取得, https://www.alic.go.jp/joho-d/joho08_000414.html）

宇都出雅巳「『口ぐせが現実を変える』が科学的に正しい訳」東洋経済オンライン, 2017年5月21日（2023年7月28日取得, https://toyokeizai.net/articles/-/172097）

太田信夫「長期記憶におけるプライミング――驚くべき潜在記憶（implicit memory）」心理学評論, Vol.31, No.3, 1988年, pp.305-322（2023年7月28日取得, https://www.jstage.jst.go.jp/article/sjpr/31/3/31_305/_pdf/-char/en）

合掌顕, 五十川沙織「休憩時の音楽聴取がストレス緩和と作業に与える影響について」人間・環境学会第20回大会発表論文要旨, 2013年5月（2023年7月28日取得, https://www.jstage.jst.go.jp/article/mera/16/1/16_KJ00009557974/_pdf）

金井嘉宏「社交不安症の認知行動療法と神経科学」心理学ワールド, 76号, 2017年1月号, pp.25-26（2023年7月28日取得, https://psych.or.jp/wp-content/uploads/2017/10/76-25-26.pdf）

中村太戯留ほか「手書き文字と活字の認識の差に関する fMRI 研究――ノイズ要素の分離の試み」日本認知科学会第26回大会, 2009年

「学習時間を細かく分けた「45分」で「60分」と同等以上の学習効果を発揮“長時間学習”よりも短時間集中の“積み上げ型学習”が有効であった」株式会社ベネッセホールディングス, 2017年3月8日（2023年7月28日取得, https://prtimes.jp/main/html/rd/p/000000562.000000120.html）

「漢字の手書き習得が高度な言語能力の発達に影響を与えることを発見 ――読み書き習得の生涯軌道に関するフレームワークの提唱」京都大学, 2021年1月27日（2023年7月28日取得, https://www.kyoto-u.ac.jp/ja/research-news/2021-01-27）

「緊張を乗り越える脳内メカニズムを解明」名古屋大学, 2019年9月17日（2023年7月28日取得, https://www.nagoya-u.ac.jp/about-nu/public-relations/researchinfo/upload_images/20190918_i1.pdf）

「思春期早期における向社会性の発達に脳帯状回の神経代謝と機能的ネットワークが関連することを発見」日本医療研究開発機構, 2019年1月24日（2023年7月28日取得, https://www.amed.go.jp/news/release_20190124-05.html）

「朝食欠食者における朝食介入と睡眠の関係」カルビー株式会社, 関東学院大学栄養学部, 2019年5月19日（2023年7月28日取得, https://www.calbee.co.jp/rd/result/report39.php）

P. K. Agarwal, P. M. Bain, and R. W. Chamberlain, *The Value of Applied Research: Retrieval Practice Improves Classroom Learning and Recommendations from a Teacher, a Principal, and a Scientist,* Educational Psychology Review, 24(2012), pp.437–448.（2023年7月28日取得, https://doi.org/10.1007/s10648-012-9210-2）

P. K. Agarwal, L. D. Nunes, and J. R. Blunt, *Retrieval Practice Consistently Benefits Student Learning: a Systematic Review of Applied Research in Schools and Classrooms,* Educational Psychology Review, 33 (2021), pp.1409–1453.（2023年7月28日取得, https://doi.org/10.1007/s10648-021-09595-9）

Bargh, John, Mark Chen, and Lara Burrows, *Automaticity of Social Behavior: Direct Effects of Trait Construct and Stereotype Activation on Action,* Journal of Personality and Social Psychology, Vol.71, No.2(1996), pp.230–244.

Paul A. Kirschner and Mirjam Neelen, *The Drill of How to Chill for Learning,* 3-STAR LEARNING EXPERIENCES, April 21, 2020.（2023年7月28日取得, https://3starlearningexperiences.wordpress.com/2020/04/21/the-drill-of-how-to-chill-for-learning/）

Perri Klass, *Why Handwriting Is Still Essential in the Keyboard Age,* New York Times, June 20, 2016.（2023年7月28日取得, https://archive.nytimes.com/well.blogs.nytimes.com/2016/06/20/why-handwriting-is-still-essential-in-the-keyboard-age）

Robinson Meyer, *To Remember a Lecture Better, Take Notes by Hand,* The Atlantic, May 1, 2014.（2023年7月28日取得, https://www.theatlantic.com/technology/archive/2014/05/to-remember-a-lecture-better-take-notes-by-hand/361478/）

Pam A. Mueller and Daniel M.Oppenheimer, *The Pen Is Mightier Than the Keyboard,* Psychological Science, Vol. 25, No. 6 (April 2014): 1159–68.（2023年7月28日取得, https://journals.sagepub.com/doi/abs/10.1177/0956797614524581）

Nick Rose, *The Role of Forgetting As We Learn,* Ambition Institute, April 20, 2018.（2023年7月28日取得, https://www.ambition.org.uk/blog/why-forget/）

Noriya Watanabe, *Ventromedial Prefrontal Cortex Contributes to Performance Success by Controlling Reward-Driven Arousal Representation in Amygdala,* NeuroImage, Volume 202, November 15, 2019.（2023年7月28日取得, https://www.sciencedirect.com/science/article/pii/S105381191930727X）

細井　龍（ドラゴン細井）

医学部受験塾MEDUCATE代表。渋谷教育学園幕張高等学校、千葉大学医学部卒。現役医師でありながら、「教育を通じて家庭に笑顔を」をモットーに受験業界で経営者およびプロ講師として活躍。最新の脳科学に基づいた「最小の時間で、最大の効果」を手に入れる効率的な学習プログラムは好評を博す。また、能動的学習力を高め「内面から受かる人」に変える講義は、他塾でまったく結果が伴わなかった生徒ですら医学部に送りこんできた。SNSでは「ドラゴン細井」名義で活動。その辛口かつ的を射た発言は人気を集め、SNS総フォロワー数は55万超（2023年7月現在）。著書に『現役ドクターが教える! 医学部合格への受験戦略・勉強法』（日東書院本社）。

メモるだけで2度と忘れない3分間勉強革命

2023年9月14日　初版発行

著者／細井　龍（ドラゴン細井）

発行者／山下　直久

発行／株式会社KADOKAWA
〒102-8177　東京都千代田区富士見2-13-3
電話　0570-002-301（ナビダイヤル）

印刷所／大日本印刷株式会社

製本所／大日本印刷株式会社

●お問い合わせ
https://www.kadokawa.co.jp/（「お問い合わせ」へお進みください）
※内容によっては、お答えできない場合があります。
※サポートは日本国内のみとさせていただきます。
※Japanese text only

定価はカバーに表示してあります。

ISBN 978-4-04-606108-9　C0030